J'AI RISQUÉ MA VIE POUR DES IMAGES

Édition : Ann Châteauvert
Infographie : Marie Gouret et Maxime Gaumond
Traitement des images : Johanne Lemay
Révision : Brigitte Lépine
Correction : Sylvie Massariol et Joëlle Bouchard
Crédit du cahier photos : Société Radio-Canada

Catalogage avant publication de Bibliothèque et
Archives nationales du Québec et Bibliothèque
et Archives Canada

Titre : J'ai risqué ma vie pour des images : derrière la
caméra de Patrice Massenet / Paul Toutant.
Noms : Toutant, Paul, 1949- auteur.
Identifiants : Canadiana 20190037822
| ISBN 9782761954617
Vedettes-matière : RVM : Massenet, Patrice
| RVM : Cadreurs—Québec (Province)—Récits person-
nels. | RVM : Information internationale—Québec
(Province)
Classification : LCC TR849.M37 T68 2020
| CDD 070.4/332092—dc23

DISTRIBUTEURS EXCLUSIFS :

Pour le Canada et les États-Unis :
MESSAGERIES ADP inc.*
Téléphone : 450-640-1237
Internet : www.messageries-adp.com
* filiale du Groupe Sogides inc.,
   filiale de Québecor Média inc.

Pour la France et les autres pays :
INTERFORUM editis
Téléphone : 33 (0) 1 49 59 11 56/91
Service commandes France Métropolitaine
Téléphone : 33 (0) 2 38 32 71 00
Internet : www.interforum.fr
Service commandes Export – DOM-TOM
Internet : www.interforum.fr
Courriel : cdes-export@interforum.fr

Pour la Suisse :
INTERFORUM editis SUISSE
Téléphone : 41 (0) 26 460 80 60
Internet : www.interforumsuisse.ch
Courriel : office@interforumsuisse.ch
Distributeur : OLF S.A.
Commandes :
Téléphone : 41 (0) 26 467 53 33
Internet : www.olf.ch
Courriel : information@olf.ch

Pour la Belgique et le Luxembourg :
INTERFORUM BENELUX S.A.
Téléphone : 32 (0) 10 42 03 20
Internet : www.interforum.be
Courriel : info@interforum.be

02-20

Imprimé au Canada

Dépôt légal : 2020
Bibliothèque et Archives nationales du Québec

ISBN (version papier) 978-2-7619-5461-7
ISBN (version numérique) 978-2-7619-5462-4

Gouvernement du Québec – Programme de crédit
d'impôt pour l'édition de livres – Gestion SODEC –
www.sodec.gouv.qc.ca

L'Éditeur bénéficie du soutien de la Société de
développement des entreprises culturelles du
Québec pour son programme d'édition.

Conseil des arts   Canada Council
du Canada   for the Arts

Nous remercions le Conseil des arts du Canada de
l'aide accordée à notre programme de publication.

Financé par le gouvernement du Canada   Canadä
Funded by the Government of Canada

Nous reconnaissons l'aide financière du
gouvernement du Canada par l'entremise du Fonds
du livre du Canada pour nos activités d'édition.

PAUL TOUTANT

Préface de Jean-François Lépine,
Madeleine Poulin et Raymond Saint-Pierre

J'AI RISQUÉ MA VIE POUR DES IMAGES

Derrière la caméra
de Patrice Massenet

LES ÉDITIONS DE L'HOMME

À ma fille Mirra,
qui tenait tant à ce que je mette en œuvre
ma carrière de *cameraman bourlingueur*.

PATRICE MASSENET

PRÉFACE

Pas d'images, pas de reportage !

– Adage de toutes les salles de nouvelles du monde

Le cameraman Patrice Massenet a travaillé et voyagé avec plusieurs journalistes au cours de sa carrière. Trois d'entre eux témoignent de leur amitié pour leur vieux compagnon de route.

JEAN-FRANÇOIS LÉPINE

On dit que l'image vaut mille mots. C'est difficile à admettre pour ceux qui, comme moi, pensent créer des images avec leurs mots, mais c'est la vérité.

En journalisme, les capteurs d'images ont toujours joué un rôle essentiel : ils ont d'abord dessiné, photographié, puis filmé. Le problème c'est que, dans l'histoire du journalisme, peu d'illustrateurs, de photographes ou de cameramen ont raconté, comme tant de journalistes écrivains l'ont fait, le quotidien de leur travail, leur propre perception du monde et les reportages auxquels ils ont participé au sein d'une équipe.

Patrice Massenet, avec l'aide précieuse de Paul Toutant, nous propose ici quelque chose d'unique. Enfin, un cameraman parle, raconte ce qu'il a vu ailleurs et ici. À travers son récit, il nous présente sa fonction cruciale dans une équipe de production de télévision sur le terrain, mais surtout, il nous transmet sa propre vision des événements, combien nombreux et importants, dans l'histoire contemporaine qu'il a couverte avec des « journalistes vedettes ». Ces journalistes récoltent la plupart du temps l'estime du public et les prix, parce que ce sont eux qui sont visibles et mis devant les projecteurs. Qui connaît en effet les auteurs des images que nous voyons tous les jours dans nos écrans ? Heureusement, Patrice a obtenu de nombreux prix pour son travail, mais il n'avait jamais osé relater publiquement l'histoire derrière ses images.

J'ai connu Patrice Massenet il y a près de 30 ans. Il était un jeune cameraman au service des affaires publiques de Radio-Canada, où les artisans de l'image réalisaient alors des reportages plus longs et plus subtils que ceux des cameramen que j'avais connus dans l'exercice quotidien de ce qu'on appelle « les nouvelles », tous aussi extraordinaires, mais dont le mandat est plus ingrat et moins créatif, parce qu'ils couvrent l'instantané, l'immédiat. Patrice a été, dès nos débuts, un mentor, pour moi qui ne connaissais rien au reportage plus soutenu, plus léché.

Au cours de plus de 25 ans de collaboration, nous avons fait le tour du monde. À l'époque, Radio-Canada avait les moyens de ses ambitions, et nous croyions que nos compatriotes québécois et canadiens devaient connaître les situations et les crises que nous allions couvrir, puisqu'elles pouvaient un jour avoir des répercussions même jusqu'ici.

Chaque fois que nous partions en reportage, Patrice était déjà au fait, presque mieux que nous, de la situation que nous allions découvrir. Contrairement à beaucoup de ses collègues, il s'impliquait dans l'histoire et il nous protégeait, physiquement et intellectuellement, comme aucun ne le faisait. Il voulait savoir ce que nous voulions dire ou faire. Il avait une vision d'ensemble du travail de l'équipe et, comme un gardien du projet, il tenait à faire en sorte que tout fonctionne bien.

Dans toutes les situations que lui et moi avons traversées, si dangereuses et délicates qu'elles aient été, il s'est toujours assuré de nous offrir le confort qu'il fallait pour exercer nos talents de conteurs. Comme lors de ce reportage tourné à la prison à sécurité maximale de Donnacona, narré plus loin dans ce livre.

Enfin, il nous raconte sa version à lui de tout ce que nous avons vécu ensemble, pour le seul bénéfice des téléspectateurs qui allaient voir nos histoires, et pour lesquels il avait un respect sans borne.

Patrice Massenet est un être précieux dans ce métier de journaliste de télévision dont on sait, malgré tout, peu de choses. Mais le récit qu'il fait de son expérience nous en dévoile quelques secrets !

Bonne lecture. Et merci, Patrice !

MADELEINE POULIN

Je l'avoue tout de suite : j'ai toujours été sous le charme de Patrice Massenet, le camarade comme le cameraman. Et sur les deux plans je suis très exigeante. Sur d'autres plans aussi, d'ailleurs...

Or le beau Patrice, ici aussi, réussit à charmer avec ces récits qui nous font faire le tour de la planète en commençant et en finissant par le Grand Nord.

Je me méfiais un peu, parce que, dans le milieu des correspondants et des envoyés spéciaux télé, on a parfois tendance à se prendre très au sérieux, à se donner beaucoup d'importance, ce qui peut être ennuyeux. Mais ici, aucun danger de s'ennuyer !

Patrice Massenet est tout à fait conscient de l'importance de son rôle : sans caméra, pas de reportage télé, et sans un bon cameraman, pas de bon reportage. Je peux d'ailleurs témoigner qu'il sait très bien se tenir debout pour défendre, diplomatiquement, son art quand il y a lieu et ses «images Tintin», comme il le dit joliment. Il ne s'arrête pourtant pas là !

Ce qui fait l'intérêt du livre, c'est l'exceptionnel sens de l'observation du conteur, accompagné d'une réelle capacité à s'émouvoir et à s'indigner : une volonté de comprendre ce qu'il a vu en replaçant l'événement dans un contexte plus large. Le tout bien sûr pimenté de son humour qui prend à l'occasion la forme sympathique de l'autodérision.

Patrice Massenet a la langue bien pendue. Toutefois, pour passer au noir sur blanc, il a trouvé un excellent interprète en Paul Toutant qui, avec brio, donne forme à ses propos. Le texte rend bien la «voix» et l'humour de Patrice. Ils ont aussi accompli un travail colossal de recherche dans les

archives, dont fait foi la précision des dates et des noms parfois exotiques rattachés aux nombreux événements évoqués.
Même notre étonnant cameraman ne pouvait pas humaine-
ment avoir conservés intacts dans sa mémoire tous ces
détails précis.

Enfin, la longue expérience de Patrice Massenet, distillée
dans ces chroniques, l'a amené à se poser des questions très
justes, notamment sur le rapport entre les émotions et le travail journalistique, sur l'utilité de ce travail et sur l'avenir de
son métier.

Si j'étais professeur de journalisme, je le ferais lire à mes
étudiants.

RAYMOND SAINT-PIERRE

Patrice Massenet fait partie de ces nombreux cameramen, restés dans l'ombre, qui ont risqué leur vie à mes côtés alors qu'on couvrait les crises et les conflits marquants de notre époque. Ces histoires de tournage resteront, pour toujours, gravées dans ma mémoire : Sylvain au Nicaragua, Doug en Irlande du Nord et au Proche-Orient, Éric et Sergio en ex-Yougoslavie, l'autre Sylvain en Afghanistan, Alex en Syrie et Patrice au Zaïre et en Somalie. On ne peut que garder des liens solides avec ces journalistes de l'image, un attachement indéfectible pour ces compagnons de travail qui ont décidé d'aller, avec nous, un peu plus loin, jusqu'au bout de la route, en nous faisant confiance, avec la même passion que nous pour découvrir, montrer et faire comprendre ce qui se passe ailleurs dans notre monde.

Il n'y a pas que des crises, des conflits ou du danger. Il y a aussi de longues heures d'attente, ou encore de déplacement, comme lors de ce trajet que nous avons fait ensemble, des rives de l'Adriatique jusqu'à Sarajevo, dans les montagnes, sur des routes glacées, dans un convoi d'aide humanitaire. Des heures et des heures, où les nerfs et la patience sont mis à l'épreuve, où l'on apprend à apprécier ces partenaires qui, loin de se plaindre, font semblant, comme nous, d'apprécier le repas tiédi sur la chaufferette du camion. Ou qui, bien loin de là, prétendent, comme nous, aimer la viande de chameau bouillie, dans une oasis, près d'un point d'eau, en Somalie.

Il n'arrive pas si souvent que ces précieux camarades décident de partager leurs expériences. Je me réjouis donc que Patrice ait décidé de le faire.

Écoutez-le.

On veut pas le savoir, on veut le voir !

– Boutade célèbre de l'humoriste québécois
YVON DESCHAMPS

PATRICE ET MOI

J'ai travaillé plus de 40 ans comme journaliste à la télévision, ce qui m'a permis de fréquenter des dizaines de cameramen, hommes et femmes. Je sais, le mot *cadreur* est plus approprié en français, mais trop réducteur, je pense. Dans les services d'information, un cameraman est appelé à prendre des initiatives, à choisir l'angle visuel du reportage, ce qui en fait un journaliste de l'image à part entière, et non un spécialiste de la caméra obéissant simplement aux indications d'un réalisateur.

Patrice Massenet est un « vieux de la vieille », un cinéaste aguerri pour qui la qualité de l'image est primordiale. Il fait partie de cette génération de créateurs jugeant impensable de diffuser une image floue, sautillante ou incompréhensible au premier coup d'œil. Aujourd'hui, alors que tout le monde est devenu cameraman grâce aux téléphones intelligents, le public a perdu l'habitude des images léchées, stables, qui ont fait l'orgueil des artisans de la télévision dès le début des années 1950. Ce savoir-faire est encore présent, les documentaires animaliers de la BBC en font foi, mais les bulletins de nouvelles fourmillent maintenant d'images boiteuses. L'amateurisme d'Internet est devenu la norme.

Le métier de Patrice l'a conduit presque partout sur la planète ; il a accompagné de grands reporters canadiens dans des zones de conflits et de turbulences. Ses images ont été principalement diffusées sur les ondes de la télévision de Radio-Canada, mais elles ont souvent été reprises par de grands réseaux internationaux. Puisque les bulletins d'information carburent au tragique, mon ami a surtout été témoin de grandes catastrophes naturelles, politiques ou humanitaires. Dans ces reportages, un journaliste vedette explique le contexte de l'événement, le plus objectivement possible. Les images, elles, qui charrient l'émotion et rendent possible la compréhension du drame, sont conçues par le cameraman, qui devient l'œil du téléspectateur.

Quand Patrice Massenet me raconte ses aventures autour du monde, je suis toujours fasciné par ses anecdotes de tournage, épicées de détails savoureux qui ne sont jamais montrés dans les reportages officiels. Pour écrire ce livre, il m'a suffi de choisir parmi ses nombreux récits de voyages.

Je remercie du fond du cœur le Service de l'information de la Société Radio-Canada qui a bien voulu permettre à Patrice l'accès intégral à ses archives personnelles. Merci aussi au personnel du Service des archives pour sa généreuse disponibilité. Toute ma gratitude enfin à Gisel Marotte et à Marie-Josée Lacroix pour leur soutien indéfectible.

J'offre ces aventures à tous les cameramen du monde, et surtout ceux de la SRC, dont la passion et l'audace ont jalonné ma carrière.

Voici donc, reproduites le plus fidèlement possible, quelques histoires que m'a racontées Patrice. Elles sont écrites au *je*, car c'est Patrice qui s'exprime. J'espère qu'en lisant ces lignes, c'est sa voix que vous entendrez.

Paul Toutant

CHEZ LES ESPIONS

GROENLAND ET ARCTIQUE CANADIEN

À 20 ans, j'ai la tête pleine d'idéaux. Je commence ma carrière en 1967, alors que débute à Montréal l'Exposition universelle Terre des Hommes. Le monde est venu visiter le Québec et j'y vois un signe de grande fraternité entre les humains de tous pays. Je suis alors assistant-cameraman au Service du film de Radio-Canada, la télévision nationale, où je fais partie d'une des 10 équipes chargées de filmer l'actualité avec des caméras 16 mm. Les sujets sont variés et je m'intéresse à tout : culture, politique, sports et même agriculture. J'apprends mon métier et je découvre que la planète entière pourrait devenir mon terrain de jeu !

Enfant, j'étais déjà fou d'aventures, comme mon paternel. Je suis né Français dans une Allemagne occupée par les alliés, à Fribourg-en-Brisgau, en pleine Forêt-Noire. Mon père Jean faisait partie de la Résistance en France pour le fameux réseau de contre-espionnage Shelburn, une branche des services secrets britanniques. Il avait comme mission de rapatrier en Angleterre des parachutistes et des aviateurs alliés dont les appareils avaient été abattus dans le ciel de France. Dans ses mémoires, son chef, le capitaine Lucien Dumais, un Québécois du régiment des Fusiliers Mont-Royal, écrit que le nom de code de papa était « Passeur ». Je le voyais comme un héros téméraire, toujours prêt à mettre sa vie en danger pour une bonne cause, ce qui enflammait mon imagination. Ma mère Liv Herborg, d'origine norvégienne, a de son côté bercé ma jeunesse de contes nordiques se déroulant dans des contrées de haute latitude où le soleil ne se couche pas pendant de longs mois. Fort de ces influences parentales, j'ai grandi en me prenant un peu pour Bob Morane, le héros des romans de Henri Vernes. Comme lui, je me voyais déjà parcourir le monde en combattant les nazis et les tyrans, défendant la veuve et l'orphelin.

Imaginez mon émotion quand mon équipe de cinéastes reçoit le mandat, en novembre 1967, de partir en expédition dans le Grand Nord afin de filmer une émission spéciale des *Couche-Tard*. Animée par les deux grandes vedettes de l'heure au Québec, Roger Baulu et Jacques Normand, cette émission est la plus irrévérencieuse de l'époque. Son indicatif musical, composé par Jean-Pierre Ferland, est resté gravé dans ma mémoire :

« Regardez-les, les Couche-tard… Ils vivent au soleil de minuit, et on les arrose au whisky, ces fleurs de macadam… »

Un peu comme le comédien Bob Hope le faisait pour les troupes armées américaines, notre mission est de divertir les soldats confinés dans deux bases militaires très secrètes au Groenland et dans l'Arctique canadien. L'émission sera ensuite diffusée autour du jour de l'An. Je suis excité comme une puce sur un caniche : c'est mon baptême de l'air !

Nous partons donc à bord d'un avion Hercules de l'armée canadienne avec une tonne d'équipement, des musiciens, le chef d'orchestre Vic Vogel, la reine du music-hall Fabiola, la sexe symbole Élaine Bédard, qui fait aussi carrière aux États-Unis à l'époque et que les Américains surnomment «The French Sweetheart», et une troupe de danseuses affriolantes. L'ambiance à bord est à la fête, et je suis très ému par ce premier voyage en dehors de mon petit univers quotidien. Je m'en vais au pôle Nord !

Première escale : la base américaine de Thulé, au Groenland, où opère l'Air Strategic Command. Cette base est la seule à pouvoir accueillir et loger notre équipe : trois mille soldats américains et danois y vivent en permanence. C'est bizarre, nous étions en territoire inuit et je n'ai aucun souvenir d'y avoir vu un visage autochtone. Il devait pourtant y en avoir sur la base, du moins j'aime le croire.

Après de longues heures de vol, nous atterrissons dans le noir total, même s'il est midi. On nous apprend alors que nous ne verrons pas le soleil de notre séjour puisque cette partie du monde est plongée dans les ténèbres pendant tout l'hiver. Comme dans les contes de ma mère...

Notre Hercules entre dans un hangar aux proportions démesurées et se gare près d'autres gros avions peints en noir, des jets ne portant aucune immatriculation. Et là, j'ai un choc : ce sont les fameuses forteresses B-52 de l'US Air Force, ces engins équipés de bombes nucléaires ayant mission de survoler en permanence le territoire soviétique, prêts à larguer leurs engins de mort ! Très peu de gens ont vu ces avions. Quelques mois auparavant, j'avais visionné le très grand film de Stanley Kubrick *Docteur Folamour* (*Dr. Strangelove*), où Peter Sellers raconte comment un commandant devenu fou lance une attaque nucléaire non provoquée contre l'URSS. J'hallucine. Le hangar est identique à celui du film ! Je me retrouve donc plongé dans la paranoïa de la guerre froide, comme mon Bob Morane dépêché dans une base secrète alliée. Si mon père avait vu ça !

Mais, trêve de rêvasseries ; il fait - 40 °C, j'ai du travail à faire et la réalité me rattrape. C'est dans un banal gymnase qu'aura lieu l'enregistrement. Les caméras de l'époque sont lourdes et peu sensibles ; nous devons donc éclairer la salle comme en plein jour, tâche impossible avec nos maigres projecteurs. Pendant le spectacle, tous les sièges sont occupés et les soldats applaudissent à tout rompre les danseuses légèrement vêtues. Mission accomplie ! Prochaine étape, la base canadienne Alert que nous rejoignons le lendemain, après de longues heures passées à remballer tout notre équipement.

• • •

Cette base est plus petite que celle de Thulé : c'est l'endroit habité le plus au nord de la planète, à seulement 817 kilomètres du pôle, dans l'Arctique canadien, à l'extrême nord de l'île d'Ellesmere. On y est plus proche de Moscou que de Montréal. Près de 150 soldats y habitent au moment de notre visite. Inutile de dire qu'ils sont contents de voir arriver des visiteurs, et surtout des visiteuses ! À cette époque, les téléphones portables et Internet n'existent pas, les gars reçoivent leurs émissions de télé par avion, en retard de plusieurs semaines, et n'ont que de rares contacts avec le monde du sud. L'arrivée d'un contingent de danseuses en tenue légère a de quoi nourrir leurs fantasmes pour le reste de l'hiver !

Le scénario se répète, nous enregistrons le même spectacle une deuxième fois, mais j'ai la tête ailleurs. Je rêve à ces grands espaces infinis, à cet immense désert de roche et de glace au-dessus duquel le sort de l'humanité pourrait basculer, comme dans le film de Kubrick. Y a-t-il des Russes qui pensent la même chose que moi ?

Ici, les baraques sont reliées entre elles par de gros câbles ; pendant un blizzard, la visibilité devient nulle et l'on doit marcher de l'une à l'autre en tenant ce fil de vie. Si on le lâche, on risque d'errer à l'aveuglette dans l'enfer blanc jusqu'à ce que le froid nous engourdisse à tout jamais. Il arrive que des soldats disparaissent ainsi.

En fait, c'est un autre genre de catastrophe qui nous guette à Alert ; à cause du froid extrême, un des moteurs de l'Hercules refuse de démarrer. Pour passer le temps, le commandant de la base, un francophone charmant, invite la troupe à boire un verre au mess des officiers. Les soldats sont réunis dans une salle attenante et il semble que le spectacle les a beaucoup émoustillés. Par trois fois, les militaires envoient une délégation au mess pour demander que les danseuses viennent leur tenir compagnie. À chaque demande, leur niveau d'ébriété augmente, ce qui rend le commandant de plus en plus nerveux. Je me souviens que les filles sont restées calmes et souriantes pendant ces tractations, car elles en avaient vu d'autres ! Je sentais que le commandant aurait pu facilement perdre le contrôle de la situation ; il ne pouvait pas appeler la police en renfort, puisque la police, c'était lui et ses hommes ! La mutinerie n'aura finalement pas lieu et c'est avec un grand soulagement que nous entendons enfin tourner les moteurs. Nous retournons dormir à Thulé pour ensuite rentrer à Montréal le lendemain. *Bye bye les boys* !

J'ai revu il y a quelques jours cette émission des *Couche-Tard* rangée aux archives de Radio-Canada. Ouille, c'était vraiment moche avec tous ces artistes dans la semi-pénombre ! Mais ce fut tout de même un grand succès lors de la diffusion. J'imagine que l'exotisme du sujet a fait oublier les carences techniques. Le diffuseur, l'armée et les *boys* étaient très contents. Que demander de plus ?

Au retour de l'Arctique, les idées se bousculent dans ma tête, car, un peu naïvement, je pressens que mon nouveau boulot va me permettre de voyager partout dans le monde et de vivre des aventures extraordinaires. Après tout, je viens de visiter une base militaire interdite au commun des mortels et j'ai *presque* touché à une bombe atomique. Ouais, bien sûr, si j'avais essayé on m'aurait certainement fusillé, mais bon... J'ai tout de même beaucoup de chance d'exercer un métier si palpitant !

À moi le monde !

LA MAFIA AMÉRICAINE DU BŒUF

SAINT-PIERRE-ET-MIQUELON

Je poursuis ma formation comme assistant, mais je sens que je serai bientôt prêt à manier moi-même la caméra. Parfois, un cameraman me laisse tourner quelques plans, de sorte que la technique n'a pratiquement plus de secrets pour moi. Je participe à des tournages très variés, des spectacles et des meetings politiques, mais j'aime surtout les émissions portant sur l'agriculture. On y travaille en plein air, je découvre du pays, des gens charmants et, aspect non négligeable, les producteurs sont toujours fiers de nous proposer leurs spécialités locales. J'en profite pour élargir ma palette de goûts en découvrant des aliments qui m'étaient jusqu'alors inconnus, comme la chicoutai, ce fruit aigrelet poussant sur la côte nord du Saint-Laurent. Ce côté *goûte-à-tout* me sera bien utile plus tard dans ma carrière, quand on m'offrira du singe ou du gruau fermenté dans l'alcool…

En juin 1969, mon équipe est assignée à un reportage à Saint-Pierre-et-Miquelon, un archipel situé en territoire français au large de la province canadienne de Terre-Neuve. Quelle chance pour moi qui suis né Français, mais qui ai immigré par bateau au Canada à l'âge de six ans, en 1952 ! Ce voyage est une sorte de retour à mes origines européennes que j'ai finalement très peu connues. Je ne me doute pas que je vais y perdre quelques illusions...

C'est Jacques Cartier qui a donné en 1536 un nom de saint, Pierre, patron des pêcheurs, à la plus grosse île de l'archipel. La France a voulu conserver sa mainmise sur cet endroit battu par les vents à cause des grands bancs de morue qui fréquentaient ces eaux avant leur diminution draconienne.

Nous devons tourner un reportage pour l'émission *Les travaux et les jours*, que regardent attentivement tous les producteurs agricoles du Québec. L'occasion est solennelle : le premier ministre du Canada, Pierre Elliott Trudeau, et le président de la France, Georges Pompidou, viennent de signer un accord reconnaissant Saint-Pierre comme station internationale de quarantaine pour les bœufs de race charolaise. À cette époque, le bœuf charolais est considéré comme l'un des meilleurs du monde ; sa viande tendre et persillée fait le délice des gastronomes. Même si ce produit d'importation coûte très cher, il faut, avant d'autoriser l'implantation de ces animaux au Canada, établir un lieu éloigné des côtes pour s'assurer de leur santé, d'où le besoin de la quarantaine.

Pour les résidents de l'archipel, cette vaste étable gouvernementale représente de nouveaux emplois et d'intéressantes retombées économiques. Les Canadiens, de leur côté, souhaitent élever cette excellente race bovine sur leur territoire, ce qui ne manquera pas de faire baisser les prix de la viande.

Nous voilà donc en terre française, accueillis fraternellement par les habitants des îles qui ne voient pas souvent des équipes de tournage débarquer chez eux. Le travail se déroule très bien. Entrevues et images d'appoint se succèdent avec des officiels canadiens et français. Je nous revois, le cameraman Ronald Berthelet et moi, en veston-cravate comme c'était l'usage à l'époque, parcourant les champs et les bords de mer à la recherche de belles images de ce coin de pays. Ce n'est pas difficile ; Saint-Pierre-et-Miquelon est un véritable paradis pour les photographes avec ses dunes, sa côte sauvage et ses milliers d'oiseaux marins qui multiplient leurs acrobaties dans le ciel.

Le soir venu, nous allons tous prendre un pot à l'auberge du village où la bonne humeur règne. Après plusieurs « verres de l'amitié » avec nos cousins français, Ronald et moi décidons d'aller nous coucher, car le tournage reprendra très tôt le matin suivant. D'un seul coup, inexplicablement, l'ambiance se refroidit. Les joyeux buveurs de tout à l'heure deviennent soudainement plus agressifs et nous suivent à l'extérieur. Un poing se lève, et mon collègue se retrouve par terre. Un autre coup m'atteint au visage. Ne sachant pas et ne voulant pas me battre, je roule sur le sol avec mon agresseur, sonné par ce revirement de situation.

C'est alors que surgit de nulle part une imposante Citroën noire avec à son bord quatre gars costauds. Ces hommes descendent, nous relèvent et nous font monter dans leur voiture qui démarre en trombe. Sans rien dire, ils nous ramènent à notre pension et repartent dans la nuit. Henri Vernes aurait adoré !

Ce n'est que le lendemain que j'apprends que j'ai été mêlé sans le savoir à une lutte secrète menée par le crime organisé américain ! Le représentant du gouvernement canadien, un dénommé Troalin, m'explique que la mafia étatsunienne, qui contrôle une partie du marché de la viande, a versé 25 000 dollars à quelques fiers-à-bras des îles pour empêcher la construction de la station de quarantaine. Les Américains voient l'arrivée du bœuf charolais au Canada comme une concurrence sérieuse à leurs exportations bovines. Notre reportage, qui va faire au projet une grosse publicité, est donc très mal vu par ces truands. Les gars costauds qui nous ont sortis du pétrin étaient des agents de sécurité que le gouverneur de l'île avait chargés de notre protection. Quelle déconvenue! Moi qui venais ici pour renouer avec ma chère France, j'en repartirai avec des courbatures et une mâchoire endolorie.

Le lendemain soir, nous sommes invités par le gouverneur à un cocktail dans sa résidence cossue. J'y arrive avec le seul costume que j'ai, un peu sale, percé aux coudes et aux genoux. Je m'en excuse auprès de l'épouse du diplomate qui m'écoute avec un sourire en coin et me dit, énigmatique : « Ah, c'était donc vous ! »

Interloqué, je ne sais quoi lui répondre. J'ai presque perdu une dent, mon costume est foutu, mais je ne peux que lui offrir mon fameux sourire charmeur que j'utilise lorsque la situation l'exige. Je suis jeune, mais j'ai déjà une bonne connaissance de la gent féminine, du moins j'aime à le croire. À mon grand étonnement, la femme du gouverneur se détourne de moi dans un haussement d'épaules. Heureusement, le bar est bien garni !

Ce reportage connaîtra finalement un franc succès et aujourd'hui la race bovine charolaise est parfaitement acclimatée au Canada, n'en déplaise aux éléments douteux du commerce américain.

●●●

À la suite de cet épisode cocasse, je suis devenu cameraman certifié et j'ai beaucoup voyagé à travers le monde. J'ai encore toutes mes dents, mais plusieurs de mes illusions de jeunesse se sont évanouies. Un proverbe dit : « Là où il y a de l'homme, il y a de l'hommerie. » C'est vrai partout. J'ai regardé le monde par le viseur de mes caméras et j'aimerais parfois pouvoir effacer de ma mémoire certaines images horribles que j'ai tournées. Par contre, je me souviens aussi avec bonheur de sourires magnifiques et de complicités rieuses, établies sous différentes latitudes, dans les contextes les plus improbables. Ce sont ces sentiments paradoxaux, j'imagine, qui font de moi l'homme que je suis devenu, tolérant et toujours avide de rencontres inédites. Quant aux femmes, c'est grâce à elles si j'ai perdu de ma superbe et ce côté un peu macho de mes jeunes années. Je les remercie d'avoir contribué à parfaire mon éducation sentimentale. À ce chapitre, je suis un homme comblé.

LES ENFANTS JETABLES

COLOMBIE

J'ai tourné des images qui me hantent encore… J'ai découvert pendant ce reportage que la nature humaine est capable des pires bassesses, mais aussi des plus grands élans de générosité. À cette époque, j'avais déjà filmé bien des horreurs et des catastrophes, mais rien ne m'avait préparé à ce dont j'allais être témoin. Au Canada, pays très riche, nous vivons dans un grand confort physique et moral. Pour la plupart des gens d'ici, la véritable misère est un concept abstrait. Au fil des ans, mon métier m'a ouvert les yeux, mais j'avoue que, dans ce cas précis, le contact avec l'atroce réalité a été brutal. On ne sort pas indemne d'un tournage comme celui-ci. Il m'arrive encore d'y repenser lorsque je regarde jouer mes petits-enfants, espérant qu'ils ne vivront jamais des horreurs pareilles.

Pour la série *Découverte des Amériques*, diffusée à Radio-Canada, me voici en 1982 à Bogotá, en Colombie, au nom des Productions Galafilm. Nous avions entendu dire qu'on pouvait trouver ici le pendant masculin de mère Teresa, un homme d'affaires colombien appelé Jaime Eduardo Jaramillo. Son combat? Protéger les milliers d'enfants errants de Bogotá des escadrons de la mort chargés de les éliminer. Ces *enfants jetables*, comme on les surnomme là-bas, sont abattus régulièrement comme des rats ou doivent se cacher dans les égouts de la ville pour tenter de survivre.

Monsieur Jaramillo est un homme fort occupé: géophysicien renommé, il analyse les données scientifiques recueillies par des compagnies pétrolières en quête de nouveaux gisements. Quand son travail le permet, il revient chez lui à Bogotá, auprès de son épouse et de ses trois enfants. Sa famille vit confortablement dans un quartier riche protégé par de hauts murs et des gardiens de sécurité, car Bogotá est une capitale où le crime est florissant.

Les cartels de la drogue et les bandes organisées y font la loi et contrôlent une grande partie du marché mondial de la cocaïne et de l'héroïne. Ces bandits ne pourraient vivre en toute impunité sans la complicité d'autorités corrompues. Des membres du gouvernement, de l'armée et de la police font partie de ces cartels, ou du moins acceptent de fermer les yeux sur leurs trafics en échange d'importantes sommes d'argent. Des organismes voués à la protection des droits de la personne affirment même que certains «défenseurs de la loi» arrondissent leurs fins de mois en participant au *grand nettoyage* des rues, tuant avec leurs armes de service les sans-abri, les mendiants et les enfants errants qui peuplent les faubourgs et le centre-ville. On estime à plusieurs milliers ces enfants abandonnés par des parents drogués, morts, ou tout simplement trop pauvres pour nourrir et éduquer leur progéniture. C'est une dure réalité que l'on retrouve, hélas, dans de nombreuses grandes villes d'Amérique du Sud.

Ces petits pauvres, dont certains ont à peine quatre ans, mendient partout où ils peuvent. Organisés en bandes, comme les estropiés des *Misérables*, ils volent les gens distraits ou vulnérables, et pillent les magasins de nourriture. Les plus vieux sont armés et gare à celui qui tentera de leur résister. Plusieurs commerçants estiment que ces miséreux nuisent à leurs affaires et incommodent la clientèle. Ce sont eux qui financent les escadrons de la mort pour les débarrasser de cette *racaille* qui ne vaut guère plus à leurs yeux qu'une infestation de coquerelles.

Jaime Jaramillo aurait pu se contenter de faire partie de l'élite économique de Bogotá. Pourtant, un jour, un ami lui raconte que sa ville cache un secret terrible : des milliers d'enfants se terrent dans les égouts pour survivre, ignorés de la majorité de la population. Sceptique, l'homme d'affaires suit son ami dans un tunnel et y découvre des centaines d'enfants, garçons et filles, sales et malades, qui regardent avec férocité cet homme de l'extérieur venu jusqu'à leur repaire. Va-t-il les dénoncer ?

Il ne les dénoncera pas, mais sa vie prendra aussitôt un tournant imprévu. Jaime Jaramillo puise dans sa fortune personnelle pour nourrir et habiller sa nouvelle famille élargie. Il attire l'attention des médias sur le sort cruel que la société réserve à ses plus démunis et dénonce les escadrons de la mort qui, jusque-là, tuaient une douzaine d'enfants chaque nuit sans être inquiétés.

Le bienfaiteur crée alors la Fundación Niños de los Andes. L'organisme, qui reçoit des dons de partout dans le monde, accueille encore aujourd'hui dans ses locaux des centaines d'enfants qui y sont lavés, soignés, nourris et éduqués par une armée de bénévoles. Plusieurs de ces enfants

obtiennent un diplôme d'études secondaires ou universi-
taires. Une petite fille qui y a grandi joue maintenant dans
un orchestre symphonique! À ceux qui ont moins de talent,
monsieur Jaramillo fournit des boîtes remplies de cirage à
chaussure; les enfants peuvent ainsi gagner leur pitance en
polissant les souliers des habitants de Bogotá, ce qui leur
permet de manger sans voler. Les jeunes aiment tellement
cet homme qu'ils l'ont surnommé Papa Jaime!

C'est à la rencontre de ce héros que je vais avec ma
caméra. Il reçoit notre équipe dans son bureau de la
Fondation et nous explique calmement comment fonctionne
l'extermination organisée des enfants errants de Bogotá. J'ai
la nausée rien qu'à l'entendre, mais je me doute bien que le
vrai haut-le-cœur s'en vient: monsieur Jaramillo nous invite
à visiter un égout, à la rencontre des rats humains de son
pays.

Il faut montrer patte blanche avant d'entrer dans le
repaire des jeunes; sans guide, nous risquerions d'être attaqués et même tués. Jaime Jaramillo demande donc à un de
ses jeunes protégés, âgé d'à peine 20 ans, de nous piloter
dans le réseau obscur et puant. Ce garçon est un assassin qui
a passé son enfance dans les égouts; il a déjà tué plusieurs de
ses agresseurs. Manifestement, notre projet de tournage lui
répugne. Il crie et nous pointe du doigt d'un air sauvage.
Même si l'échange se déroule en espagnol, je comprends que
le garçon nous accuse d'être des voyeurs et de mettre en danger ses jeunes amis. Au bout de 20 minutes de cette vive dis-
cussion, l'homme d'affaires le rassure enfin et obtient son
accord. Le garçon nous mènera demain à une bouche d'égout
fréquentée par les enfants, mais il ne répond pas de notre
sécurité.

Cette canalisation qui donne accès au réseau sous-terrain est située dans un quartier moins fréquenté de la capitale, ce qui explique qu'en plein jour, nous ne risquons pas de tomber sur des petits truands ou des enfants assassins. Ce n'est pas la principale cachette des sans-abri : le principal nid d'enfants jetables est situé plus loin dans Bogotá, mais il est solidement gardé par les plus vieux, devenus des tueurs impitoyables à 11 ou 12 ans.

En route, nous visitons un quartier populaire où les enfants des rues font la loi. Je veux y tourner des images essentielles au reportage. Dès notre arrivée, une foule de bambins en loques se ruent sur nous. Ils tendent leurs mains sales et font peur à voir. Ils ont des regards de prédateurs évaluant la résistance de leurs proies. Par chance, des enfants reconnaissent Jaime Jaramillo. La méfiance est immédiatement remplacée par les cris de joie : « Papa Jaime ! Papa Jaime ! » crient-ils à pleins poumons. Ils touchent ses mains, tirent sur ses vêtements, essaient de l'embrasser et se désintéressent complètement de l'équipe de tournage. Leurs cris attirent d'autres enfants et nous sommes bientôt cernés par une trentaine de jeunes admirateurs en liesse, comme si Mick Jagger venait d'apparaître là. Ma caméra ne rate rien de la scène, et mes images vont témoigner de l'amour véritable des enfants de Bogotá pour Papa Jaime !

Une heure plus tard, nous sommes dans le quartier choisi pour l'expédition. Notre guide nous indique l'entrée de la canalisation : c'est ici que commencera notre périple sous-terrain. Nous portons de hautes bottes antidérapantes, des vestes et des gants de caoutchouc bien fixés par du papier collant, mais pas de masques, puisqu'en montrant nos visages, nous risquons moins de semer la panique. Avec monsieur Jaramillo et le guide, nous sommes six à descendre. Immédiatement, l'odeur nous suffoque. Nous ne marchons pas dans l'eau, mais dans 30 centimètres d'une vase noirâtre. Il ne faut surtout pas tomber et encore moins avaler une goutte de cette eau empoisonnée, sinon c'est la *turista* sévère pour un mois, sans compter les maladies de peau !

Des rats nous frôlent dans la pénombre. Ils ne semblent pas agressifs, probablement parce qu'ils ont suffisamment à manger. Heureusement, car j'ai une sainte horreur de ces bestioles couvertes de parasites. J'essaie de ne pas penser aux scènes de films d'horreur déjà visionnés. En fait, j'essaie de ne pas réfléchir du tout et de me concentrer sur le travail qui m'attend. Ainsi, j'arrive à me détacher un peu de l'environnement dégueulasse qui m'entoure. Nous avançons à la file indienne, éclairés par des lampes de poche. Je sue abondamment. Le plafond de l'égout est bas, je dois marcher plié en deux, tenant ma caméra entourée de plastique bien serrée contre ma poitrine. Les muscles de mon dos sont en feu. J'ai envie de vomir, car l'air fétide est à la limite du respirable. Les gens qui regarderont ce reportage devraient avoir la télé en odorama pour comprendre ce que je vis. Comment des petits êtres humains peuvent-ils décider de vivre et de dormir dans un pareil environnement ? Il faut vraiment que la rue soit terrifiante pour que l'instinct de survie les entraîne ici.

Au bout de quelques centaines de mètres, nous arrivons à un embranchement et la voûte de l'égout s'élargit. Nous sommes rendus dans une canalisation principale. Je peux enfin me redresser et marcher normalement. Mon dos m'envoie des signaux de détresse et ma caméra pèse une tonne. Le sol est glissant, mais personne n'est encore tombé. Nous avançons jusqu'à une alcôve située à un mètre au-dessus des excréments. Le guide pointe du doigt quelque chose qui semble bouger dans l'obscurité. J'allume la lumière de ma caméra. Là, au sec, deux paires d'yeux nous fixent avec appréhension. Jaime Jaramillo et son protégé annoncent sur un ton rassurant que nous venons en amis. Soudain, je les vois : deux visages crasseux s'avancent vers nous et je rencontre mes premiers rats humains de Bogotá.

Ces yeux noirs et brillants sont ceux d'un garçon et d'une fillette. Elle a peut-être 12 ou 13 ans et nous découvrons qu'elle est enceinte de plusieurs mois. Son ami est plus jeune qu'elle, 9 ou 10 ans tout au plus. Ils ne sont pas parents, mais le garçon sert de protecteur à sa copine. Ils vivent ensemble dans les égouts depuis leur tendre enfance. Je filme l'échange amical des jeunes avec leur bienfaiteur. Ils connaissent Papa Jaime et lui témoignent de la reconnaissance. Malgré leur saleté, je les trouve magnifiques avec leurs visages d'anges. Ils nous racontent leur vie d'une voix douce et se disent rassurés de pouvoir vivre dans ce lieu, loin des policiers-tueurs qui n'oseront jamais, espèrent-ils, s'aventurer dans ce dédale puant de Bogotá.

Quelques minutes plus tard, monsieur Jaramillo décide que le tournage est terminé. Nos voix se répandent dans l'écho des tunnels, et il craint que des jeunes armés viennent nous faire la peau. Notre équipement à lui seul vaut plus que le salaire annuel d'un Colombien et serait facile à revendre sur le marché noir. Nous remercions les deux jeunes qui retournent dans leur cachette pendant que nous revenons sur nos pas. Je me dis que je ne les reverrai jamais. Comme toujours, lors d'un tournage bouleversant, je refoule mes sentiments sous mon armure professionnelle. Regarder la misère du monde à travers un objectif de caméra me permet de dresser une barrière invisible entre la réalité et mes états d'âme. Je me concentre davantage sur les aspects techniques du métier, remettant à plus tard des réactions qui pourraient mettre mon équilibre mental en péril. C'est un aspect du métier que partagent presque tous les cameramen ; la caméra rend invincible, sentiment trompeur qui peut s'avérer fatal en certaines circonstances. Il ne m'est jamais arrivé de craquer devant la pression, probablement parce que je n'ai jamais été pris en otage. Je me souviens par contre de cameramen tués alors qu'ils se croyaient invisibles : nous avons tous vu cette image d'un soldat israélien visant une caméra et abattant un collègue d'une balle dans le front. L'image vacille et s'éteint. Le pauvre n'a jamais réalisé que c'était lui que le soldat visait...

En sortant de l'égout, je respire l'air pur comme un noyé trouvant enfin de l'oxygène. L'odeur de mon habit me donne des haut-le-cœur. Je jette mes survêtements à la poubelle et reviens à l'hôtel, où je prends une douche interminable. Je pense à la petite fille enceinte qui ne prendra pas de douche aujourd'hui. Je chasse immédiatement cette image comme si je changeais de poste dans ma tête, une faculté que j'ai développée au fil des ans. Cette facilité me rend service lors des tournages difficiles, mais je dois bien faire attention à ne pas devenir insensible à la douleur d'autrui. J'imagine que les médecins ont recours à une technique semblable quand leurs patients meurent. Je me change et rejoins l'équipe, car ma journée n'est pas terminée et d'autres horreurs nous attendent !

Dans les locaux de la Fondation de Jaime Jaramillo, ce dernier nous présente un survivant des escadrons de la mort. Il a 15 ans. Sa tête est une plaie cicatrisée sans cils ni cheveux, fendue de deux yeux perçants. On dirait une grosse bougie rose qui parle. D'une voix calme, l'enfant nous explique qu'il a été poursuivi l'an dernier par un policier en civil déterminé à l'assassiner : « Je courais plus vite que ce porc et j'ai réussi à atteindre une bouche d'égout. Je me suis caché dans le tunnel, certain de l'avoir semé. C'est alors qu'il a soulevé la plaque de métal recouvrant le trou et déversé sur moi un gros bidon d'essence. Il a jeté une allumette et je me suis enflammé. J'ai survécu en me roulant dans la merde. » Brûlé sur tout le corps au troisième degré, le gamin a ensuite été amené à la Fondation, puis soigné à l'hôpital. Son agresseur n'a jamais été identifié.

•••

Plus le tournage avance, plus je crains que la sécurité de Jaime Jaramillo ne soit menacée. Dénoncer publiquement les escadrons de la mort demande du courage et, pourtant, cet homme vaque à ses obligations sans garde du corps ni voiture blindée. Il m'explique que sa réputation est désormais trop grande et que personne n'oserait s'en prendre à lui. Il a été en nomination pour le prix Nobel de la paix en 1989. Il a aussi reçu de multiples récompenses internationales, dont le prix Paix et Justice un an après mère Teresa, la Médaille internationale du service à l'humanité de Grande-Bretagne et d'autres honneurs du même genre en Espagne, en Corée du Sud, à Malte ainsi qu'aux États-Unis. En Colombie, où habitent une majorité de gens de cœur, il est considéré comme un héros national, donc intouchable. N'empêche, les autorités l'ont à l'œil, car il est la mauvaise conscience du gouvernement.

Alors que nous devons prendre l'avion pour l'accompagner dans la ville de Bucaramanga, où ses services de géologue sont très recherchés, le directeur de la Fondation reçoit un coup de fil d'un dirigeant de l'armée colombienne, l'avertissant qu'il est hors de question d'y amener la télévision canadienne. Qui l'a informé ? Mystère ! La jungle où nous devons aller est contrôlée en partie par les guérilléros et l'armée veut à tout prix éviter que l'on filme Papa Jaime en compagnie des insurgés.

Monsieur Jaramillo nous explique que plusieurs d'entre eux sont d'anciens enfants des égouts qui ont fui dans la forêt pour échapper à la mort. Ils se battent aujourd'hui contre les forces gouvernementales qu'ils jugent corrompues. Par deux fois, le bienfaiteur a été kidnappé dans la jungle par les rebelles alors qu'il y travaillait. Chaque fois, ceux-ci, l'ayant reconnu, lui ont fait une fête et se sont même cotisés pour financer sa fondation ! Je comprends pourquoi l'armée colombienne détesterait que nous diffusions de telles images au téléjournal… Donc pas de guérilla dans notre histoire. Devant notre mine déconfite, Papa Jaime promet de nous emmener voir d'autres enfants errants de Bucaramanga, ceux qui refusent de vivre dans les égouts et préfèrent tenter leur chance à l'air libre. Ce sont les plus téméraires.

Le vol dure une heure. À notre arrivée à l'hôtel, la direction nous annonce que des inconnus ont laissé trois gros paquets à l'attention de Jaime Jaramillo : ce sont trois boîtes de bois remplies de matériel pour cirer des chaussures, un don anonyme. Notre visite n'était pourtant pas annoncée. « Ça arrive régulièrement », commente Papa Jaime avec un grand sourire. Ce dernier passe l'après-midi auprès de ses clients pendant que je tourne des images de la ville.

À la nuit tombée, il nous entraîne vers un terrain vague envahi de broussailles où des chiens maigres cherchent une vaine pitance. Au milieu du terrain, nous devinons un léger monticule surmonté d'une bâche souillée. J'allume alors le projecteur de la caméra et l'on découvre que sous la toile sont alignés quelques enfants endormis. Le plus âgé se réveille, le visage tordu par une terreur absolue; il hurle, semant la panique dans le groupe. Les petits dormeurs croient qu'un escadron vient de les surprendre pour les tuer dans leur sommeil. Monsieur Jaramillo se met alors à crier son nom : « Je suis Papa Jaime, je suis Papa Jaime, tout va bien ! C'est moi, je suis avec des amis ! »

Le plus petit, qui doit avoir quatre ou cinq ans, nous regarde, hébété. Peut-être a-t-il reniflé de la colle avant de s'endormir. Les enfants de la rue se droguent régulièrement pour oublier un peu leur misère. Après quelques secondes, les enfants reconnaissent leur bienfaiteur, protégeant leurs yeux de la violente lumière de la caméra. Ils remercient leur ami pour les cadeaux, les trois boîtes de cirage grâce aux-quelles ils pourront manger demain. L'homme d'affaires demande aux deux plus jeunes s'ils veulent venir avec lui, ce que les petits acceptent immédiatement. Nous les ramenons à l'hôtel où Papa Jaime, en bon père de famille, leur donne un bain et commande un repas. Le lendemain matin, il ira leur acheter des vêtements pour qu'ils soient présentables à l'aéroport. Les deux petits gars reviendront en avion avec nous à Bogotá, où ils seront examinés par un médecin et inscrits dans une maternelle. S'ils le désirent, ils vivront à la Fondation jusqu'à leur majorité, feront des études et, peut-être, deviendront des citoyens modèles. C'est sur l'image des deux petits anges regardant les nuages par le hublot de l'avion que se termine notre tournage. Je suis fier, car je rapporte dans mes bagages du matériel exceptionnel.

Le lendemain, revenu à Montréal, auprès de ma femme et de mes deux enfants, je souffre d'un immense décalage émotionnel. À table, ils rigolent et parlent de leur prochain week-end de ski. Mes petits Québécois ne se doutent même pas que des enfants de leur âge vivent dans la merde avec la faim et la terreur au ventre. Je décide de ne pas leur raconter toute l'horreur dont je viens d'être témoin. À quoi bon ? Ils la découvriront aujourd'hui comme vous, en lisant ce livre. Ma boule à l'estomac a fini par passer. Elle passe toujours…

J'ai vécu d'autres tournages intenses et c'est chaque fois la même chose : il m'est impossible de verbaliser toutes les émotions contradictoires que je ressens, les laissant s'accumuler dans mon tiroir secret. Je fais plutôt parler mes images. J'espère qu'elles éveilleront certaines consciences et amèneront l'opinion publique à réclamer plus de justice dans le monde. J'apporte ma petite contribution pour une société meilleure, le reste ne dépend plus de moi. Les enfants de Bogotá vivent-ils mieux depuis la diffusion de mon reportage ? Celui-ci a fait grand bruit dans les journaux et incité d'autres médias à se rendre à Bogotá. Je ne suis pas naïf au point de croire qu'un reportage suffit à changer le monde, mais… Les escadrons de la mort existent toujours, toutefois ils se font plus discrets. Je me réconforte à l'idée que plusieurs petits survivent encore grâce à Papa Jaime…

L'HÔPITAL INVISIBLE

ÉRYTHRÉE

La vie nous réserve parfois de très heureuses surprises. Au
début des années 1980, j'ai tourné pour Radio-Canada un
reportage sur un neurologue de Montréal, le docteur
Raymond Robillard, grand spécialiste des opérations du cerveau à l'Hôpital Notre-Dame. Le médecin avait beaucoup
apprécié mon travail et il m'a téléphoné cinq ans plus tard
pour me proposer un tournage à titre de cameraman indé-
pendant. Il était très excité, car il venait, disait-il, de rencontrer un homme extraordinaire à Toronto.

Cet homme, dont je n'ai jamais su le nom, était un réfugié érythréen, très cultivé et impliqué dans la politique de
son pays. Il avait réussi à emmener sa famille en sécurité au
Canada, fuyant la guerre et la persécution. Il gagnait maintenant sa vie comme chauffeur de taxi dans la métropole onta-
rienne et c'est ainsi, au hasard d'une course, qu'il a rencontré
le docteur Robillard alors que ce dernier visitait Toronto.

Depuis les années 1960, l'Érythrée est, à l'époque, en
conflit pour obtenir son indépendance. Enclavée entre la

mer Rouge, le Soudan et l'Éthiopie, elle est considérée comme une province éthiopienne par ce dernier pays, d'où une guerre impitoyable menée dans un climat de famine généralisée. Comme dans de nombreux pays d'Afrique et d'ailleurs, de grandes puissances, principalement les États-Unis, la Russie et aussi la Chine, y mènent leur combat idéologique, tout en vendant des armes aux diverses factions. Dans ce cas-ci, l'Éthiopie reçoit de l'aide de la Russie, appelée Union Soviétique au moment où se déroule ce tournage. Les Soviétiques ont établi une base militaire sur une île située au large de l'Érythrée, et c'est de là qu'ils envoient leurs avions Migs bombarder la population érythréenne.

Le chauffeur de taxi torontois raconte au docteur Robillard que l'aide humanitaire internationale envoyée en Éthiopie est bloquée à la frontière de l'Érythrée et volée par les forces armées éthiopiennes. L'Érythrée étouffe; des milliers de personnes y meurent de faim, et les hôpitaux manquent cruellement de médicaments pour soigner les blessés. Une terrible sécheresse sévit dans la région, comme dans presque toute l'Afrique, et comme les céréales ne poussent plus, le bétail agonise.

C'est dans ce taxi que le neurologue a une idée folle: se rendre sur place afin d'évaluer les besoins réels de la population érythréenne. Comme je suis le seul cameraman qu'il connaisse, il me demande de l'accompagner pour filmer son expédition. Je n'aurai pas de salaire, mais je me doute bien qu'un sujet pareil intéressera les grands réseaux d'information à qui je pourrai vendre mon histoire. J'accepte son invitation et nous partons en janvier 1985 en compagnie du docteur Jean-Jacques Légaré, un collègue de Raymond Robillard.

Comme il est vraiment hors de question de transiter par l'Éthiopie, nous arrivons à Khartoum, la capitale du Soudan, d'où un autre avion nous transporte à Port-Soudan, une ville située tout près de la frontière avec l'Érythrée. C'est là que nous attendent des représentants d'organisations de réfugiés érythréens. Le chauffeur de taxi torontois avait fourni au docteur Robillard une liste de contacts précieux qui nous seront bien utiles. Grâce à eux, nous visitons un centre pour réfugiés qui accueille les estropiés de guerre, amputés à la suite des bombardements. On y fabrique des prothèses avec les moyens du bord. Tous ces gens sont vraiment heureux de rencontrer les médecins québécois et font tout pour nous faciliter le voyage au cœur de l'Érythrée. Un périple, j'allais le découvrir bientôt, où nous allions risquer nos vies. Par chance, ma famille me croit en expédition sécuritaire, car tout le monde sait que les médecins ne voyagent qu'en première classe !

Nos contacts nous mettent en liaison avec un mécène britannique désireux de rester anonyme, que j'appellerai Jim. Ce beau gosse d'une trentaine d'années a acheté une Land Rover et nous dit vouloir livrer en Érythrée une centaine de sacs de plasma achetés en Angleterre. Il veut bien mettre son véhicule à notre disposition. Ne nous reste plus qu'à trouver un chauffeur local assez intrépide pour nous conduire jusqu'à Orotta, notre destination. Le périple va durer 15 heures en plein désert rocailleux, sur une piste à peine visible, mais surveillée jour et nuit par des avions soviétiques qui tirent sur tout ce qui bouge. Une partie de plaisir, quoi !

Nous passons la nuit sur le toit brûlant d'un dispensaire. Le ciel est magnifique, mes compagnons ne ronflent pas trop fort, et je m'endors en essayant de ne pas rêver aux dangers du voyage qui m'attend.

Le lendemain soir, c'est le grand départ. Nous avons en poche les noms de personnes sûres qui pourront nous guider en territoire érythréen, et nos hôtes nous informent que nous serons totalement pris en charge par des gens compétents durant notre séjour là-bas. N'ayant pas l'habitude de voyager dans des pays où sévit la famine, les médecins québécois et Jim n'ont pas prévu apporter des vivres dans leurs bagages, mais ça, je ne le sais pas encore…

Nous roulons de nuit pour échapper à la surveillance des jets soviétiques. À mon grand désarroi, je constate que la route est pratiquement inexistante ; nous avançons vraiment sur une piste où des chameaux seraient plus à l'aise qu'une voiture. Comme le véhicule est rempli de bidons d'essence, je dois rester assis à l'arrière du véhicule, sur les sacs de plasma en gros plastique, semblables à ceux de soluté utilisés dans les hôpitaux. Heureusement pour mes fesses, ils ne sont pas réfrigérés !

Nous ne faisons aucune escale, sauf pour refaire le plein grâce à nos bidons et profiter de courtes pauses pipi. Au petit matin, nous roulons toujours. Comme les raids soviétiques se déroulent surtout en matinée, le docteur Légaré suggère que nous nous arrêtions, ce que refuse le chauffeur érythréen. Selon lui, une cible en mouvement est plus difficile à bombarder. Au diable les Migs ! Je scrute le ciel, en vain. Le chauffeur m'apprend que, de toute façon, on ne voit jamais arriver les avions de chasse, ce qui ne me rassure guère.

Un peu avant midi, nous arrivons à Orotta, notre destination. Ah oui ? Où ça ? Je ne vois qu'une vallée déserte où poussent quelques arbres rabougris. Il n'y a personne à l'horizon. Se pourrait-il que nous ayons fait fausse route? Nous avançons vers les arbres, et là, sortant de l'ombre, quelques hommes viennent vers nous. Ils nous font des signes amicaux et nous indiquent qu'ils nous attendaient. C'est alors que je découvre l'hôpital local, un endroit indétectable à l'œil nu, et encore moins du haut des airs. Ce que nous prenions pour une vallée déserte recouvre un immense complexe sanitaire caché sous du sable et des arbustes. Bienvenue à l'hôpital invisible d'Orotta!

Ma surprise est totale. Sous chaque arbre, bien camouflé par des filets, un bivouac de fortune, avec coin cuisine et dortoir, abrite une famille. L'endroit grouille de vie, mais on ne le voit pas dès qu'on s'éloigne de quelques mètres. Nous sommes affamés. Les médecins constatent que les habitants du campement manquent de tout. Le moindre grain de riz a ici une valeur inestimable. La maigreur des réfugiés est vraiment effrayante. Je réalise que ces gens, impressionnés par notre délégation, devront se serrer la ceinture encore plus pour nous donner à manger pendant les trois jours que durera le tournage. Nous n'avons pas apporté la moindre provision: mais où avions-nous la tête?

À peine arrivé à Orotta, notre ami Jim nous annonce soudainement qu'il repart avec son 4 x 4 vers le sud, là où les combats font rage. Je trouve cela bien étrange et confie mes inquiétudes au docteur Robillard, qui m'explique que Jim est en effet un cas particulier. Victime d'un grave accident de voiture en Angleterre, il a passé plusieurs mois dans le coma. À son réveil, il a commencé à manifester une attitude assez répandue chez plusieurs comateux: ils éprouvent le besoin irrésistible de combler les semaines d'absence en voulant vivre très intensément, quitte à multiplier les initiatives dangereuses. Dans le cas de Jim, apporter du plasma dans une région en guerre et risquer sa vie auprès des combattants érythréens fait partie de sa thérapie. Nous ne le reverrons jamais…

•••

Le docteur Robillard demande à nos hôtes de visiter les installations médicales. Nous tombons des nues. À moins d'un kilomètre des arbres rabougris, à flanc de montagne, un espace camouflé par des branches nous permet d'entrer dans l'hôpital, ou ce qui en tient lieu. Le bunker est immense et, d'après les estimations du docteur Robillard, doit faire au moins cinq kilomètres. À l'abri de la montagne près de laquelle survivent de façon invisible 70 000 personnes, les malades sont traités par des aides-soignants ravis de rencontrer de véritables médecins. Une enfilade de salles se déploie devant nous. Je filme tout, conscient que ces images feront bientôt le tour du monde. Il n'y a ni aération ni climatisation ; l'odeur de sueur et d'éther est suffocante. Les blessés, la plupart amputés d'un bras ou d'une jambe, vont pieds nus comme les infirmiers, et leurs pas soulèvent une légère poussière partout. Mes deux médecins ont les yeux ronds ; ces mauvaises conditions hygiéniques seraient impensables dans leur propre milieu de travail. De salle en salle, les surprises s'accumulent.

Je filme un blessé dont le thorax a été enfoncé par une bombe. Pour lui permettre de respirer, la peau de sa poitrine a été attachée avec du barbelé sur une planche soulevée au-dessus de son lit. L'homme gît là, sans se plaindre, éveillé. Sans ces fils de métal qui soulèvent la peau de son ventre, ses poumons s'affaisseraient entre ses côtes, toutes cassées. Les docteurs Robillard et Légaré sont estomaqués. Ils restent silencieux, conscients de l'énorme fossé qui sépare leur pratique médicale de celle que ces médecins de fortune utilisent.

On nous dit que les principales blessures soignées ici sont causées par des obus et des éclats de grenades, alors que le napalm est responsable des plus graves brûlures. Les services médicaux se succèdent : médecine interne, pédiatrie, neurochirurgie, chirurgie thoracique et cardiovasculaire se partagent trois blocs opératoires, où les produits de base font cruellement défaut. Les sacs de plasma de Jim sont plus que bienvenus ! Nous découvrons avec étonnement une pharmacie, ainsi qu'une manufacture de médicaments et de solutés physiologiques. Un laboratoire alimenté par des génératrices au diesel fonctionne à plein régime. Nos hôtes nous expliquent que ce matériel est un butin de guerre saisi aux Éthiopiens et à leurs amis soviétiques lors d'une récente offensive gagnée par les Érythréens.

Nous accédons au quartier des femmes, interdit aux hommes qui ne sont pas médecins. Ma caméra n'y est pas la bienvenue et je reste à l'écart. J'éprouve toujours une certaine pudeur dans des situations aussi délicates. La caméra peut facilement être perçue comme un outil de voyeurisme, et même d'agression, par des gens, surtout des femmes, ne partageant pas nos mœurs nord-américaines. Les médecins québécois me diront plus tard avoir été écœurés par ce qu'ils y ont vu : de nombreuses patientes, la plupart des nomades, sont traitées pour des infections sérieuses aux parties génitales. La coutume locale veut que, avant de partir à la guerre, les maris fassent coudre le vagin de leur épouse par des «guérisseuses». Celles-ci opèrent dans des conditions d'hygiène lamentables avec du fil non stérilisé, et les femmes, surtout quand le mari ne revient pas, développent des infections catastrophiques. Les médecins d'Orotta lavent les plaies et les traitent aux antibiotiques, quand ils en ont. Au sein même de la population érythréenne, ces pratiques tribales ne font pas l'unanimité, nous dit-on, et seule l'éducation populaire finira par y mettre un terme.

Le tournage durera trois jours pendant lesquels nous sommes logés très convenablement dans des chambres d'invités. Nous y mangerons à notre faim, surtout des fèves et du riz, conscients de l'énorme sacrifice que représente pour nos hôtes chaque bouchée que nous avalons.

Les docteurs Robillard et Légaré font ensuite le bilan de la situation: les maladies parasitaires sont présentes partout. Presque tout le monde a la malaria, alors que la poliomyélite et la rougeole déciment les enfants. Comme ces gens mangent très peu, ils n'offrent aucune résistance aux maladies. Nous avons compté 27 médecins généralistes dans l'hôpital et 1600 auxiliaires, des infirmiers promus médecins par la force des choses. À la fin de la visite, on nous emmène voir quelques milliers de prisonniers éthiopiens qui sont également traités à l'hôpital. Ce sont eux qui ont avoué avoir détourné la nourriture et les médicaments de la Croix-Rouge destinés à l'Éthiopie. Ils font peur à voir: très maigres, ils doivent travailler pour subvenir à leurs besoins. Ils ne tentent pas de s'échapper car, disent-ils, ils seront fusillés pour trahison s'ils retournent en Éthiopie.

Les médecins de l'hôpital invisible nous disent avoir surtout besoin de livres et de journaux de médecine, comme

The Lancet, publié en Angleterre. Les infirmiers les lisent pour mettre à jour leurs connaissances médicales qui datent parfois des années 1950 ! En résumé, ils nous demandent de leur envoyer tout ce que le Canada pourra : vivres, médicaments, mais, de grâce, via le Soudan, et pas l'Éthiopie comme c'est le cas présentement.

Le lendemain, nous montons à bord d'un véhicule de l'hôpital conduit par un homme ne parlant ni français ni anglais. Nous faisons le chemin inverse, sans être inquiétés par les avions soviétiques. Dans le véhicule, les médecins commencent à établir la liste des produits qu'il faudra envoyer ici de toute urgence. Les antibiotiques arrivent en tête. Je pense qu'ils ne s'attendaient pas à voir toutes ces horreurs à Orotta. Au bout de quelques heures, chacun regarde défiler le paysage désertique sans rien dire. Nous absorbons le choc. C'est la première fois de ma vie que je côtoie une misère humaine aussi paradoxale. Au milieu des pires horreurs et du dénuement presque total, des humains en soignent d'autres, même ceux qui les ont combattus. Je repense à ces patients d'un hôpital québécois que j'avais filmés dans une salle d'attente et qui disaient avoir vécu « l'enfer » parce qu'ils avaient attendu quatre heures avant de voir un médecin ! Que diraient-ils à Orotta ?

Je m'assure que mes précieuses bobines de film 16 mm sont bien protégées de la poussière, persuadé qu'elles toucheront fortement le public.

Revenu à Montréal, le docteur Robillard mettra sur pied le Comité d'aide à l'Érythrée, qui connaîtra un franc succès. La Croix-Rouge canadienne, informée de la situation, enverra désormais ses colis via le Soudan. Mon reportage est acheté par Radio-Canada et diffusé également sur quelques chaînes européennes. Il aura auprès du public le succès que j'espérais.

Une fois de plus, je peux difficilement expliquer à ma famille choyée la détresse des gens d'Orotta. Ce que je viens de vivre est tellement surréaliste que je n'arrive pas à trouver les mots justes pour décrire mon expérience. Je pense parfois à ce chauffeur de taxi torontois qui a osé interpeller un client canadien. Grâce à lui, le peuple de l'Érythrée se porte un peu mieux. Les réfugiés que le Canada accueille ont tous une histoire fabuleuse à raconter, et certains membres de la diaspora jouent un rôle actif dans le mieux-être de leurs compatriotes d'origine. Je les admire.

L'Éthiopie et l'Érythrée sont maintenant en voie de retrouver la paix, après des décennies de violence. Les combats semblent terminés et les communications sont rétablies entre les deux pays. À quoi ont servi tous ces morts, tous ces blessés ? Pourquoi la fin des hostilités maintenant ? Probablement parce que les grandes puissances ont déplacé leur terrain de jeu en Syrie et au Yémen, où les tueries continuent. Le trafic des armes, quant à lui, n'a jamais été aussi prospère, et le Canada y participe allègrement !

LA GUERRE DES CLANS

SOMALIE

Les guerres tribales encouragées par les grandes puissances productrices d'armes font chaque année des centaines de milliers de morts sur la planète. La plupart du temps, ce sont les femmes et les enfants qui en souffrent le plus. À défaut de régler le problème, la presse internationale s'efforce de couvrir les conflits, chaque équipe de journalistes essayant de montrer les horreurs de la guerre selon un point de vue pouvant captiver son public. Une guerre peut durer des années sans que les grands réseaux de télévision s'y intéressent, mais si un touriste américain est tué dans un attentat en Afrique, on verra débarquer sur place des cameramen étatsuniens. Si c'est un touriste français, ce sera alors la presse française qui en fera sa manchette. Soudain, les génocides qui se déroulaient dans l'indifférence internationale deviennent le sujet du jour. Ainsi va le monde du journalisme!

En 1991, notre télévision nationale s'intéresse à une nouvelle mission de nos soldats à l'étranger. Le Canada fait partie d'un contingent des Nations Unies en Somalie, où

se déroulent des combats sanglants entre différents sei-
gneurs de guerre, des chefs de clans engagés dans l'extermination de leurs rivaux. Ces clans se battent à coups de sabre
depuis des temps immémoriaux mais, au XXe siècle, ils ont
acquis des engins de destruction beaucoup plus terribles et
efficaces. Ces armes sont fabriquées en toute légalité aux
États-Unis, en Chine, en Russie, en France, en Grande-
Bretagne, en Israël et même au Canada, où les marchands
de mort créent des emplois syndiqués et bien rémunérés[1].

Un bel exemple de cette hypocrisie internationale est la
Somalie. J'arrive dans un Hercules CC-130 des Forces armées
canadiennes pour filmer la distribution de l'aide alimentaire
et médicale dans ce pays en ruine. En compagnie du grand
reporter Raymond Saint-Pierre, j'ai fait le trajet depuis
Nairobi au Kenya jusqu'à Mogadiscio, en Somalie, zone centrale des combats. Nos soldats sont des Casques bleus et
nous avons conscience de faire partie du plan de relations
publiques de l'armée. Qu'importe, je suis bien déterminé à
rapporter des images inédites du chaos qui règne en sol
somalien. Les militaires sont d'une extrême gentillesse avec
notre équipe et le pilote de l'Hercules, ce mastodonte volant
avec ses quatre turbopropulseurs, m'invite même à occuper
le siège du copilote pendant quelques minutes. Je retombe
alors immédiatement en enfance : gamin, je rêvais de
conduire dans le ciel des engins ailés pesant plusieurs
tonnes, et me voici aux commandes d'un des plus gros
avions de transport du monde ! J'ai l'impression d'être
devenu tout-puissant. Je sais, mon attitude est puérile, mais

---

1. Ce sont paradoxalement ces mêmes pays qui financent l'ONU, la Croix-
Rouge et différentes organisations humanitaires pour éponger le sang.

tous les petits garçons devenus adultes qui lisent ces lignes me comprendront. Le pilote et son équipe sont ravis : ils ont réussi à faire plaisir au cameraman. L'image de l'armée et de son personnel qui sera diffusée dans tout le pays est très importante pour le gouvernement et tout le monde sait qu'un cameraman heureux tournera des plans positifs pour la mission. Raymond Saint-Pierre trouve que j'ai plutôt l'air gaga, mais bon. Mon euphorie va toutefois se dissiper très vite à notre arrivée à cette destination, que j'ai surnommée plus tard l'Absurdistan.

L'Hercules atterrit en plein champ, sur une piste de terre battue au milieu de nulle part. Quelques véhicules déglingués sont immobilisés ici et là, tandis que, au centre du terrain vague, un fonctionnaire assis à une table nous attend. C'est le service de la douane ! La scène est surréaliste. Le visage sévère, l'homme examine nos passeports, les tamponne, nous les remet sèchement, se lève et part dans un camion rouillé. Quelqu'un ramasse la table et la chaise, et voilà. Bienvenue en Somalie !

Une ambulance de la Croix-Rouge roule vers nous. On nous apprend que nous sommes dans la partie nord de Mogadiscio, contrôlée par le seigneur de guerre Ali Mahdi, qui nous attend pour une entrevue. L'organisme humanitaire a pris tous les arrangements pour nous. L'ambulance, intouchable en théorie, est le moyen de transport le plus sûr. Nous y entassons le matériel et partons vers notre premier lieu de tournage.

La ville est dévastée. Chaque maison qui tient encore debout porte les stigmates de violents combats : trous de balles et d'obus, fenêtres cassées, où pendent tout de même des vêtements mis à sécher. Il y a donc là des personnes qui tentent de vivre dans un semblant de normalité, des femmes qui lavent le linge et espèrent que leur mari ou leurs fils reviendront souper avec tous leurs membres.

Mohamed Ali Mahdi nous reçoit dans son bureau, un endroit épargné jusque-là par les bombardements, dont les fenêtres surplombent une cour ouverte sur la rue. L'homme se présente comme le président autoproclamé de la République démocratique de Somalie, poste qu'il occupe depuis la chute récente du dirigeant Siad Barre. Raymond mène l'entrevue et je me concentre sur le visage moustachu du gaillard. Ce dernier raconte qu'il a la situation bien en main et que la paix va revenir très vite dans son pays. Soudain, des rafales de mitraillette éclatent tout près. Ali Mahdi sursaute comme s'il avait reçu une décharge électrique. Les tirs se font entendre à quelques reprises et, chaque fois, le dirigeant somalien tressaille. Je ne m'y connais pas trop en politique, mais je me dis que ses belles déclarations sur la paix ne valent pas pipette. Au Québec, on dit d'un politicien qui ânonne toujours la même rengaine qu'il *récite sa cassette*. Mais, bien sûr, ce sera au reporter de tirer ses conclusions.

Nous terminons cette entrevue courtoise et sautons de nouveau dans l'ambulance de la Croix-Rouge. Direction : la partie sud de la ville, où un autre chef de clan prétend aussi occuper le poste de président de la Somalie.

Pour passer du nord au sud, il faut d'abord traverser un *no man's land*, un territoire neutre où plus rien ne pousse, entièrement vidé de sa population. Là, une deuxième ambulance, immatriculée aux couleurs du clan sud, nous rejoint. Nous chargeons le matériel à toute vitesse dans le nouveau véhicule, car l'endroit pourrait vite devenir une souricière, et nous partons vers notre nouvelle destination. Puisque la nuit tombe, il nous faudra coucher dans la partie sud de la ville avant de poursuivre notre tournage. Nous roulons à grande vitesse pour éviter les tirs de *snipers*. Je tiens ma caméra sur mes genoux, au cas où surviendrait un événement imprévu. Il ne faudrait pas que je l'échappe ; sur un tournage de guerre, un bris technique peut s'avérer catastrophique, car les pièces de rechange n'existent pas. Personne ne parle dans le véhicule où règne une forte odeur, celle de la vieille sueur de la peur.

Le chauffeur nous conduit en prison ! En fait, le campement de la Croix-Rouge est situé dans l'ancien pénitencier à sécurité maximale de la ville, un édifice austère aux allures de forteresse. Nous traversons une première cour, où sont alignés plusieurs véhicules, puis une porte cochère nous permet de franchir une épaisse muraille haute d'une dizaine de mètres. Derrière se trouvent les anciennes cellules blindées d'où il est pratiquement impossible de sortir. Je me dis qu'il doit être également impossible d'y entrer de force, ce qui me rassure. L'endroit est sans électricité et c'est à la lueur des lampes de poche que nous atteignons nos chambres improvisées. Ça sent la poussière, car le sable s'infiltre partout. Étendu par terre et protégé par la moustiquaire que je traîne dans mes bagages, je reste de longues minutes dans le noir à penser aux hommes qui étaient enfermés ici. Que sont-ils devenus ? Au loin, des tirs sporadiques me rappellent où je suis. Comme je sais que rien ne peut m'atteindre ici, très vite je tombe dans un sommeil profond et sans rêves.

Au matin, nous rencontrons le chef de guerre Mohamed Farrah Aidid, l'autre prétendu président de la Somalie. Aidid, un homme devenu très riche grâce à ses nombreux trafics, a réussi à envoyer sa femme et ses enfants à Montréal, de sorte que cette entrevue destinée à la télévision canadienne est importante pour lui. Il déclare à Raymond Saint-Pierre que son but premier est de ramener la paix en Somalie et qu'il va travailler très fort à reconstruire son pays dévasté. Son blabla m'ennuie et je me concentre sur ses traits; il n'a pas de moustache et a un front très dégarni. L'expression de son visage, ses yeux fuyants et son langage corporel me donnent à penser qu'il ment. Quelques mois plus tard, mes soupçons seront confirmés: Aidid et ses hommes combattront violemment les forces de l'ONU et l'armée américaine, qui veulent mettre fin à ses pillages. Il sera assassiné en 1996 par une faction rivale. Le *Los Angeles Times* suspectera même que la CIA n'est pas étrangère à sa liquidation.

• • •

Avec ces deux entrevues, il ne nous manque plus que des images du pillage de l'aide alimentaire par les clans armés. Plus facile à dire qu'à faire. La Croix-Rouge nous informe qu'un bateau de ravitaillement s'apprête justement à décharger au port des denrées diverses (eau, blé, farine, médicaments) provenant de grands organismes comme l'Unicef. Cette fois, pas d'ambulance: le quartier du port est trop dangereux. Pour 400 $ US nous louons deux véhicules: une camionnette avec chauffeur pour nous et notre équipement, et un *pick-up* transportant six gars que tout le monde appelle des *technicals*, une forme de soutien logistique. Ceux-ci sont armés de kalachnikovs et ont installé dans la benne de leur camion une mitrailleuse sur pied. Ils ont mission de nous suivre, pas nécessairement pour assurer notre sécurité, comme je le croyais, mais pour empêcher des bandits de voler notre véhicule qui semble valoir plus que nos vies! Ils ont été recrutés par la Croix-Rouge qui s'en fait des alliés temporaires. Les rues menant au port sont peuplées de plusieurs dizaines d'hommes armés jusqu'aux dents qui attendent comme des vautours que l'aide humanitaire quitte le navire pour rançonner les conducteurs de camions ou voler carrément les sacs de vivres. Le président Aidid a ordonné à ses troupes de nous laisser travailler en paix, mais je me dis que nous sommes peut-être naïfs d'espérer filmer cette racaille en action.

Le port est cerné par des fortifications dont les entrées sont sévèrement contrôlées : n'y pénètre pas qui veut. Le lieu est une véritable foire du crime organisé. Des blindés et des automitrailleuses occupent les trottoirs, alors qu'une centaine de types en haillons attendent sagement autour de feux de camp l'arrivée des sacs de ravitaillement. Je filme sans interruption, dans l'espoir un peu futile de les impressionner avec ma caméra. Je me dis qu'ils n'oseront pas tirer sur un type de la télévision nationale du Canada. Certains me lancent des regards hostiles, mais nous arrivons tout de même près du navire.

Nous montons à bord, faisons des entrevues avec le capitaine et le représentant d'une organisation non gouvernementale européenne, mais soudain le climat se dégrade. Les membres d'un clan ne veulent absolument pas que nous filmions le déchargement du navire. Des coups de feu sont tirés en l'air. On nous raconte qu'une équipe de la BBC de Londres a réussi, il y a quelques semaines, à filmer les voleurs à l'œuvre et que les chefs de clans ont très mal réagi à cette publicité négative. Nous voilà donc associés à la « méchante presse internationale » qui aurait nui à leur réputation ! C'est le temps de décamper. Au moment de remonter en voiture, nous sommes abordés par des hommes à l'accent américain. Ce sont des militaires habillés en civils qui nous proposent de nous conduire à bord d'un navire de guerre étatsunien mouillant au large. Ils offrent de nous prendre en hélicoptère un peu plus tard dans la journée. Nous sautons sur l'occasion, mais il faut d'abord retourner au camp de base.

Nous rebroussons chemin et constatons que l'ambiance a changé; les hommes qui se contentaient de nous regarder avec des yeux méchants il y a deux heures veulent maintenant nous faire un mauvais parti. Des soldats aux uniformes disparates nous bloquent la route. Celui qui se comporte comme le chef tremble comme une feuille et pointe sa grosse mitrailleuse vers moi. Il crie dans une langue que, bien sûr, je ne comprends pas. Sa mâchoire s'agite de façon convulsive et je réalise que ce type est drogué jusqu'à l'os. Pour vaincre la faim et se donner du courage, ces combattants improvisés mâchent du qat, la feuille d'un arbrisseau dont l'effet ressemble beaucoup à celui des amphétamines. De toute évidence, notre homme en a consommé énormément. J'entends le mot «caméra» répété souvent dans ses vociférations. Je devine qu'il a été filmé par la BBC et qu'il ne veut plus que son visage soit associé aux pilleurs.

Notre chauffeur somalien sort du véhicule. L'autre cesse alors de viser mon visage et pointe son arme vers lui. Et quelle arme : il s'agit d'une mitrailleuse lourde antiaérienne conçue pour abattre des avions en plein vol ! Les balles, de véritables obus, mesurent plus de 12 pouces et peuvent perforer de loin une cible de métal. Je chasse de mon esprit l'image de ce qui resterait de nous si le type tirait. C'est alors que je remarque deux autres gars, aussi tremblants et drogués que le premier, dans un véhicule stationné de l'autre côté de la rue. Ils sont équipés de mitrailleuses de même calibre et visent notre camionnette! Nous ne sommes pas armés, heureusement, ce qui aurait empiré la situation.

Notre chauffeur semble habitué à négocier avec un drogué au qat. Il garde son calme et parle au type d'une voix forte et autoritaire. Après de longues minutes qui me semblent interminables, les gars baissent leurs armes et nous font signe d'avancer. Pendant tout ce temps, nos braves *technicals* restent silencieux dans le véhicule suivant. Ils savent que leur tour s'en vient. Puisqu'ils sont avec nous, ils réussissent à nous suivre, bien que les pillards braquent leurs armes sur eux aussi. Une demi-heure plus tard, nous sommes revenus au campement de la Croix-Rouge. Notre chauffeur, dont la chemise est mouillée de sueur, descend de la camionnette et nous annonce que son contrat vient de prendre fin. Il a eu la peur de sa vie... et nous aussi! La réalisatrice le paye pour ses services et il disparaît de nos vies[2].

Il est presque temps de revenir au Canada. Il nous manque des scènes de pillage, mais nous compenserons avec la visite du porte-hélicoptères américain ancré au large de la capitale. Cette présence militaire s'accentue depuis quelques semaines, et ce sera pour nous l'occasion de connaître les visées de Washington sur ce sanglant conflit. Comme convenu, nous montons dans un hélicoptère de l'armée américaine et volons calmement au-dessus des excités drogués au qat qui sont rassemblés au port. Quelques minutes plus tard, nous nous posons sur le pont de l'impressionnant

_____
2. De cet épisode traumatisant, les téléspectateurs canadiens n'ont rien vu. Toutes les images ont été coupées au montage. Pourquoi? On m'a expliqué que le temps d'antenne était précieux et que nous n'étions pas le sujet du reportage.

navire de guerre, où nous recevons un accueil très amical. Le commandant Phillip Braden veut bien nous accorder une entrevue. Je choisis un arrière-plan d'hélicoptères Black Falcon alignés devant la tour de contrôle, mais au moment de mettre ma caméra vidéo Betacam en marche, paf, plus rien ne fonctionne! Je ne vois que du gribouillage dans mon viseur et j'entends un sifflement d'enfer dans mes écouteurs. Éberlué, je joue avec les boutons de réglage, en vain. Non, pas une panne! C'est alors que le commandant s'écrie: «*Oh yes, wait a minute, sorry!*» Il donne un ordre dans son *walkie-talkie* et, quelques secondes plus tard, mon équipement reprend vie. L'officier Braden avait oublié de faire éteindre le système de brouillage protégeant le navire. Par sécurité, tout équipement électronique non enregistré est bousillé par ce système dont je n'avais jamais entendu parler. Nous avons finalement réalisé l'entrevue et j'ai pu filmer ces impression-nants véhicules volants que sont les Falcon.

Dix ans plus tard, j'ai visionné avec fascination des images de ces hélicoptères de combat dans le film *Black Hawk Down* (*La chute du Faucon noir*) du réalisateur Ridley Scott, racontant l'offensive étatsunienne contre le seigneur de guerre Aidid. Les figurants du film ressemblaient exactement aux combat-tants que j'ai rencontrés à Mogadiscio, ce qui m'a redonné des sueurs froides. Je me suis revu, loin de chez moi, à la merci de ces hommes à la conscience altérée par la drogue. J'ai risqué ma vie pour des images et je me demande encore si cela en valait la peine. J'ai rapporté de Somalie des images fortes qui ont impressionné le public, mais n'ont rien changé au cours des événements. Serais-je prêt à mourir pour exercer mon métier? C'est une question qui me taraude chaque fois que je reviens d'un tournage éprouvant.

L'Anse-aux-Meadows, Terre-Neuve, à mes débuts. À noter que je porte un chandail tricoté à la main par une de mes tantes norvégiennes. Cette photo a fait le tour de la Norvège.

France. L'amour du métier.

Base militaire canadienne ALERT, Arctique. La danseuse Fabiola s'y produit dans le cadre de l'émission *Les couche-tard*.

Mogadiscio, Somalie. Les « technicals » engagés pour nous protéger, avec leur automitrailleuse.

Mogadiscio, Somalie. Des pilleurs de grains volent un convoi humanitaire sortant du port.

Yémen. Initiation au kat avec le chauffeur et le guide du tournage.

Papouasie indonésienne. Tournage avec Jean-François Lépine auprès d'une tribu indigène.

Papouasie indonésienne. Dans ce lieu reculé en haute montagne, seulement accessible par hélicoptère, des enfants sont intrigués par ma caméra.

Avec le prince Norodom Sihanouk, qui visite un camp de réfugiés près de la Thaïlande.

Pologne, camp de
concentration d'Auschwitz.
Le pape Jean-Paul II essaie
de prier au pied du Mur de
la mort, malgré les cris des
paparazzis.

Berlin. Affiche du
documentaire *Berlin,
l'art de l'évasion*,
réalisé à partir de mes
images d'archives.

Manille, Philippines. Un croyant se fait crucifier avec de vrais clous lors du Vendredi saint.

Manille, Philippines. Madeleine Poulin fait face au dictateur Ferdinand Marcos.

Aéroport de Kigali, Rwanda. Avec le réalisateur Jean-Jacques Simon, un officier ghanéen travaillant pour le général Dallaire et Raymond Saint-Pierre.

Rwanda. Le retour des Hutus réfugiés au Zaïre (Congo actuel). La route était complètement bloquée par cette marée humaine de plusieurs kilomètres qui retournait chez elle.

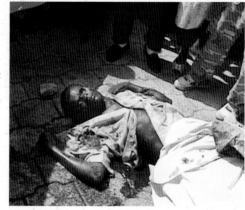

Cité Soleil, Haïti. Une des nombreuses victimes du FRAP, milice paramilitaire d'extrême-droite.

Bethléem. Jean-François Lépine en entrevue avec des membres de la milice palestinienne.

Jérusalem. Un soldat israélien tire un coup de feu en direction des lanceurs de pierres palestiniens.

Jérusalem. Un Palestinien insulte les soldats israéliens.

Tizi-Ouzou, en Algérie, durant la crise du FIS, qui tuait tous les étrangers rencontrés. Le téléphone utilisé pour assurer le contact avec le Québec était l'un des premiers du genre. Il coûtait 80 000 $ et nécessitait deux personnes pour le transporter.

Sarajevo, Bosnie-Herzégovine. Un médecin et l'avocate Kathryne Bomberger devant des restes humains découverts dans un charnier.

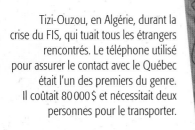

Sarajevo, Bosnie-Herzégovine. Un édifice bombardé « côté montagne » par les Serbes.

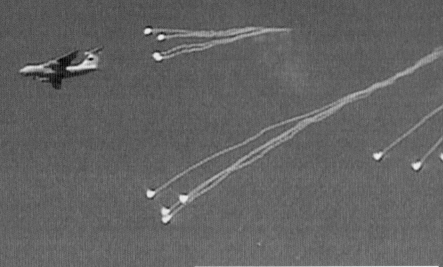

Afghanistan. Feux pyrotechniques autour d'un avion russe, visant à leurrer les missiles américains Stinger.

Kaboul, Afghanistan. Madeleine Poulin en reportage dans un cimetière où reposent les victimes civiles des combats entre l'armée soviétique et les moudjahidines afghans.

Baker Lake, Nunavut. Les Inuits Leroy Kukkiak (à gauche) et Putuaq Kreelak (à droite) avec un inukshuk (*représentation de l'homme*) en or massif coulé à la mine de Meadowbank.

LA GUERRE DES CLANS

(SUITE)

Je retourne en Somalie l'année suivante, toujours avec Raymond Saint-Pierre, pour montrer l'impact de la guerre civile sur les nomades de ce pays, dont les troupeaux sont décimés. En plus des combats entre les clans ennemis, il faut ajouter les tensions entre les grands propriétaires terriens et les tribus nomades qui se disputent les maigres pâturages. Il me reste en tête quelques images très fortes de gens qui tentent de conserver leur santé mentale dans cette succession de tueries surréalistes. Je pense à ces nomades aux aguets, dans une oasis de rêve, où des chameaux impassibles s'abreuvaient lentement sans prêter attention aux carabines de leurs maîtres. *Le chien aboie, la caravane passe*, dit un proverbe arabe. Étranges contrées où l'homme tue pour un trou d'eau cerné par des dunes millénaires. Et où les femmes ne montrent que leurs yeux baignés de toute la douceur du monde.

Nous devons rejoindre Mogadiscio via Nairobi, au Kenya, dans un avion des Nations Unies. Le matin du départ, je prends des vues générales de l'aéroport kenyan, y compris un ballet incessant de petits appareils chargés au maximum de gros sacs bruns. Je filme les pilotes montant dans leurs avions et leurs assistants qui chargent les sacs bruns, jusqu'à ce qu'un officier de l'armée du Kenya me demande ce que je suis en train de tourner. Je lui explique que je fais partie d'une équipe des Nations Unies en route vers la Somalie. Il lorgne ma caméra avec un drôle d'air, jette un regard nerveux en direction de la piste et me fait signe de déguerpir. Sans le savoir, j'avais enregistré des images des pilotes transportant du qat en quantité industrielle vers la Somalie ! Les trafiquants de drogue n'aiment pas voir leur visage aux infos télévisées. Cet officier de l'armée était certainement un militaire corrompu par la mafia et l'idée de se retrouver dans les bulletins de nouvelles ne l'enchantait guère. Dommage pour toi mon vieux, mais tu vas devenir une *star* de mon reportage !

Pour ce deuxième documentaire en Somalie, nous accompagnons un conseiller en technique vétérinaire de la Croix-Rouge, un Français nommé Gilles Sandré. Cet homme, nous dit-on, est très respecté des paysans somaliens. Avec lui, nous visitons des éleveurs de chameaux affamés par la guerre et devons suivre une piste de terre parsemée de trous d'obus témoignant de la violence des combats entre les tribus rivales. Sur la route, de petits piquets de bois indiquent la présence de mines que nous devons contourner très lentement. Malgré ce contexte inquiétant, le tournage se déroule sans anicroche. Monsieur Sandré est accueilli partout en ami. Il prodigue soins et conseils aux éleveurs et ceux-ci nous remercient avec du lait frais de chamelle, un produit vendu à prix d'or. J'y goûte avec plaisir et découvre que ce lait, un des plus nourrissants au monde, est franchement délicieux, surtout lorsqu'il sort tout juste du pis de l'animal.

Plus loin, dans une oasis très fréquentée, je filme un étrange ballet d'hommes et de chameaux qui s'abreuvent à une source à tour de rôle. On m'explique que le clan au sommet de la hiérarchie a la priorité aux points d'eau ; quand ses hommes et ses bêtes ont bien bu, le clan suivant en importance boit à son tour, et ainsi de suite. Personne ne remet en cause cet ordre établi il y a des siècles. Je me dis naïvement que la guerre civile serait vite réglée en Somalie si tout le monde appliquait la même règle dans les affaires du pays. De toute évidence, la loi ancestrale n'est pas comprise de la même façon par tous !

C'est lors de cette escale que je suis privé d'une de mes plus belles séquences. Près du point d'eau, une grande tente est montée devant laquelle une jeune femme dans la vingtaine me sourit, scène inhabituelle dans un pays musulman, où les femmes évitent généralement les contacts avec les étrangers. Elle est la fille d'un chef de clan. La caméra à l'épaule, je m'avance en pensant que j'ai une chance inouïe. Elle ouvre le rideau tenant lieu de porte et j'entre, filmant toujours. J'ai le temps d'entrevoir un troupeau de belles chèvres et je me dis que voici une chouette occasion de filmer un cheptel soigné de façon traditionnelle, ce qui est le but de notre reportage. De plus, c'est la première fois que j'ai l'occasion de montrer au public l'intérieur de la tente d'un chef somalien. C'est alors que j'entends un cri : « Patrice, reviens ici ! » Ma réalisatrice a décidé qu'il faut plutôt tourner autre chose, une banalité. La jeune femme et moi nous regardons d'un air désolé et je sors de la tente en beau fusil.

La plupart des réalisateurs et des journalistes avec qui je travaille savent qu'ils peuvent me faire confiance. J'ai un instinct développé pour établir le contact avec les gens que je filme; c'est un don et ça ne s'apprend pas. J'obtiens ainsi des images beaucoup plus intéressantes, mais il faut qu'on me laisse travailler en toute liberté. Une fois que le journaliste, le réalisateur et moi avons défini l'orientation d'un reportage, je laisse agir mon instinct et je pars à la recherche du meilleur visuel possible. Dans ce cas précis, j'ai raté l'occasion de voir des gens prendre soin des animaux qui font pratiquement partie de leur famille, puisqu'ils partagent leur tente. Nous serions revenus avec un témoignage sur la relation intime entre ces Somaliens et leur troupeau. Mais non. La réalisatrice a tenu à bien rétablir la hiérarchie de la production à la manière des bons petits fonctionnaires. Sur un tournage, c'est le réalisateur qui décide de tout en premier, puis c'est au tour du reporter de faire des suggestions et, en dernier, le cameraman apporte sa contribution s'il y a lieu. Message reçu!

Grâce à Gilles Sandré, nous revenons tout de même au camp de base avec de l'excellent matériel, dont des entrevues avec des bénévoles de Médecins sans frontières. Ceux-ci nous apprennent que les disputes de territoire déciment les troupeaux dont dépend la population rurale pour survivre. Le stress fait des ravages tant chez les humains que chez les animaux, de sorte que la Somalie se dirige certainement vers une catastrophe humanitaire.

Au camp, la Croix-Rouge a mis à notre disposition le bungalow d'un riche Somalien ayant fui la zone de guerre; l'endroit est confortable et abrite le personnel de l'ONG, en plus des journalistes de passage. La maison est gardée par deux jeunes Somaliens armés, membres de clans ennemis, dont les familles s'entre-tuent à l'extérieur du périmètre. Étrangement, les deux garçons font équipe et semblent copains depuis toujours. Je signale à Raymond Saint-Pierre que leur histoire mériterait d'être racontée et il accepte de les interviewer. Assis tous les quatre autour d'un feu de camp, nous faisons cette entrevue pour illustrer le côté absurde de la guerre. Nous communiquons ensuite avec Montréal grâce à notre téléphone satellite de l'époque, un gros bidule de 80 000 $ qui pèse une tonne. Les garçons sirotent leur thé et nous regardent avec de grands yeux : pour eux, nous sommes des extraterrestres. Des années d'évolution technologique nous séparent et pourtant nous sommes là, à contempler les mêmes étoiles…

Avant de nous retirer pour la nuit, Raymond et moi découvrons dans la cuisine du bungalow une bouteille de vin rouge. Nous lui faisons honneur, car la journée a été rude et bien remplie. Dans un tiroir, je déniche un paquet de biscuits que, affamés, nous dévorons à belles dents. Et là, le ciel nous tombe sur la tête !

Nous venons à peine d'avaler la dernière bouchée qu'arrive une jeune infirmière de la Croix-Rouge, une Britannique prénommée Susan, logée elle aussi dans cette maison. Elle regarde avec effroi le paquet vide et commence à pleurer à chaudes larmes : les biscuits dont nous venions de nous empiffrer étaient les siens ! Raymond et moi ne comprenons pas cette réaction excessive pour quelques biscuits secs. Susan nous confie entre deux sanglots que ces petites douceurs sont le seul fil qui la relie un tant soit peu au monde civilisé : chaque soir, pour oublier les atrocités, le sang et les blessures, elle savoure lentement un biscuit en pensant à sa famille qui l'attend chez elle, près de Londres. Ce biscuit est un rite, une communion avec l'Angleterre, et nous venons d'avaler sa provision du mois !

Catastrophés, nous n'avons aucun moyen de réparer notre gaffe, les biscuits étant introuvables à Mogadiscio. Au mieux, le lendemain, nous lui faisons parvenir une bouteille de scotch en provenance de l'aéroport de Nairobi dans l'espoir qu'elle y noie son chagrin... Si jamais tu lis ces lignes, chère Susan, je te prie encore de pardonner aux deux goinfres qui t'ont fendu le cœur. *Sorry...*

Ce reportage nous a valu un prix Gémeau l'année suivante. Le jury a été sensible à notre approche humaniste d'une guerre sans pitié. L'entrevue avec les deux garçons issus de clans ennemis a été particulièrement remarquée.

LE PAPE SUPERSTAR

POLOGNE

L'un des épisodes les plus émouvants de ma carrière se déroule en Pologne en 1979. Karol Wojtyla, élu pape sous le nom de Jean-Paul II, décide de visiter son pays natal, alors sous le joug du communisme soviétique. Environ 90 % des Polonais sont catholiques à cette époque, et on se doute que ce voyage, le premier d'un pape en Pologne, aura des répercussions profondes, non seulement dans ce pays, mais également dans le reste du monde. La visite officielle se déroule du 2 au 10 juin, et la presse internationale se donne rendez-vous à Varsovie pour couvrir cet événement historique. J'y arrive à la fin du mois de mai avec un réalisateur, sa scripte-assistante et la grande journaliste Madeleine Poulin.

Franchir ce qu'on appelle alors le rideau de fer a pour moi une résonance bien particulière. Mon grand-père paternel, François Kucera, de nationalité tchèque, travaillait en Bulgarie quand les Soviétiques ont bouclé les frontières à double tour. Il y montait pour une entreprise française une usine de raffinage de sucre de betterave. Ma grand-mère,

Jeanne Massenet, vivait alors à Paris, trouvant la vie en Europe de l'Est trop monotone. Quand les frontières ont été fermées, les communications sont devenues très difficiles entre eux. Des années plus tard, un représentant de l'usine a écrit à ma grand-mère pour lui annoncer le décès de son mari. Ils ne s'étaient jamais revus.

C'est la première fois qu'un de leurs descendants franchit la barrière imposée par les communistes. L'histoire de ma famille me trotte dans la tête alors que je passe la douane. Inutile de préciser que je ne porte pas dans mon cœur les camarades qui emprisonnent la Pologne, mais je dois ravaler mes sentiments car j'accompagne une équipe de presse politiquement neutre. Les agents frontaliers ont tous l'air bête et ne semblent pas ravis de voir débarquer chez eux ces médias étrangers. Ils fouillent notre équipement de fond en comble, en prenant bien leur temps, mais nous restons stoïques.

Une voiture fournie par nos hôtes nous attend pour nous mener à l'hôtel. Le chauffeur ne parle que sa langue natale et nous faisons connaissance avec Eva, l'interprète qui nous collera aux talons pendant 10 jours. De toute évidence, nous ne sommes pas considérés comme un média d'importance, c'est pourquoi le gouvernement de Varsovie nous a assigné cette professeure de français dans la vingtaine au lieu d'un agent des services secrets. Eva, elle nous l'avouera candidement plus tard, doit noter les noms de nos contacts, en plus de faire un rapport quotidien sur nos allées et venues, ainsi qu'un résumé de ce que nous disons de la Pologne dans nos reportages. Je trouve cela assez comique et caricatural. On se croirait dans un mauvais film d'espionnage !

Qui dit communisme, dit bureaucratie kafkaïenne. Nous arrivons à l'hôtel, où l'on nous confirme que nous avons bel et bien des réservations… mais pas les permis d'occuper nos chambres. Nous devons donc traverser la ville en voiture, accéder au bureau des permis, nous mettre en ligne derrière des dizaines de journalistes du monde entier, attendre plus d'une heure et demie, faire tamponner les permis, puis retraverser la ville jusqu'à l'hôtel, où le préposé à la réception nous remet enfin nos clés avec un grand sourire.

Le réalisateur me convoque dans sa chambre et me chuchote que l'endroit est certainement bourré de microphones. Il angoisse à cette idée et j'essaie de le rassurer en lui disant que tout ira bien, que nous n'avons rien à cacher. Rien n'y fait. De plus en plus anxieux, mon collègue a le regard traqué et mes blagues pour le rassurer tombent à plat. Il sue abondamment et me rappelle une histoire que tout le monde connaît à Radio-Canada : un correspondant de la CBC, tout seul dans sa chambre à Moscou, un soir de Noël, commence à parler à sa lampe de chevet dans laquelle, il en est certain, se cache un microphone. S'adressant directement à celui qui supposément l'écoute, le journaliste compatit avec ce fonctionnaire des renseignements obligé de passer la nuit à l'espionner au lieu de célébrer Noël avec sa famille. Vingt minutes plus tard, un serveur frappe à sa porte et lui remet une bouteille de mousseux «de la part d'un ami». L'espion lui souhaitait Joyeux Noël à sa façon ! L'histoire n'amuse pas mon réalisateur, au contraire.

Pour chasser ses idées noires, nous décidons de visiter le Centre de la presse internationale afin de connaître les déplacements du pape qui devrait arriver dans deux jours. Nous y faisons la connaissance d'étudiants membres du comité Solidarnosc (Solidarité), lesquels aimeraient bien faire savoir au monde leur point de vue sur cette visite. Ils nous confirment que le Centre de la presse est sous surveillance et nous donnent rendez-vous une heure plus tard dans un parc avec un porte-parole de la jeunesse polonaise. Pour ne pas éveiller les soupçons, le réalisateur et la scripte restent sur place avec le chauffeur et la traductrice. Madeleine et moi filons en douce en compagnie d'une jeune fille qui s'exprime maladroitement en anglais. Nous traversons une partie de la ville en autobus. Tout le monde nous regarde et nous sourit. Pas facile de cacher ma grosse caméra, ma ceinture de piles et mon microphone !

Nous arrivons au parc Lazienki, où se trouve une statue en bronze de Chopin : c'est le lieu du rendez-vous. Nous attendons en vain le jeune homme qui ne viendra jamais. De retour au Centre de la presse, nous apprenons qu'il a été arrêté il y a une heure. Les autorités vont l'emprisonner pendant 24 heures avant de le libérer sans porter d'accusations. Ainsi va la liberté à Varsovie, en 1979. Nous pensions candidement avoir semé nos observateurs, mais cet épisode confirme les idées paranoïaques de mon réalisateur.

Nous réussissons tout de même à faire une entrevue avec un étudiant de Solidarnosc le lendemain, mais ce dernier sera ensuite arrêté et libéré, comme son ami. Il aura eu le temps de dire devant la caméra à quel point son peuple est fier de recevoir Jean-Paul II, que les Polonais y voient une occasion de raffermir leurs croyances et que les milliers de personnes qui vont se déplacer pour le voir ne visent pas un renversement politique radical, mais plutôt un témoignage de foi. Rien de bien compromettant à mon avis.

Il faut maintenant acheminer ce matériel à Montréal. Remettons-nous dans le contexte technologique de l'époque : sans Skype ni liaisons satellites, c'est du sport ! Je tourne mes images en 16 mm avec des bobines qui offrent chacune 10 minutes de film couleur. La caméra est alimentée par des piles très lourdes que je porte en ceinture autour de la taille. Je traîne avec moi des piles de rechange dans un sac. Idéalement, je dois tourner tout un reportage avec une seule bobine. J'en ai une trentaine dans mes bagages. Je les change grâce à une chambre noire portative : un sac de gros tissu noir muni de deux entrées pour les mains. Je manipule le film à l'aveuglette en évitant que la lumière ne s'introduise dans le sac. Puis j'envoie ces négatifs par avion à Londres, où les images sont développées et acheminées en vrac à Montréal par câble sous-marin. Elles y sont montées selon les instructions du réalisateur, puis diffusées le plus rapidement possible. Madeleine Poulin, très débrouillarde sur le terrain, a développé une méthode personnelle pour actualiser nos tournages : elle enregistre face à la caméra des courtes mises en situation, puis, une fois le reportage monté, elle téléphone à Montréal pour enregistrer ses plus récents commentaires. De cette façon, le public a l'impression de regarder un document diffusé en direct.

Madeleine et moi n'avons pas le choix d'être inventifs car, accablé par le climat de surveillance continuelle, devenu incapable de travailler, le réalisateur craque et se fait rapatrier à Montréal en compagnie de la scripte. Nous voici donc seuls et sans support technique face à une tâche immense. Heureusement, Eva et notre chauffeur, devenus nos copains, vont nous aider à exercer notre métier dans ce contexte difficile et me donner un coup de main pour transporter une partie de l'équipement.

•••

Au matin du 2 juin, c'est le branle-bas de combat chez les journalistes : l'avion de Jean-Paul II va atterrir à Varsovie ! Nous arrivons à l'aéroport pour découvrir que les meilleures places de l'estrade réservée à la presse sont déjà occupées par les grands réseaux américains. ABC, NBC et CBS (CNN ne sera créé qu'en 1985) disposent de trois équipes de tournage chacun, soit une quarantaine de personnes par réseau. Ils ont décidé de mettre leurs ressources en commun, de sorte qu'il y a toujours deux équipes en avance sur tout le monde. Cette concurrence est impossible à battre, mais nous n'avons pas le temps de céder au découragement. Il faut positionner la caméra pour obtenir des images et il ne reste que la rambarde du dernier gradin de l'estrade, où je grimpe en jouant du coude. Heureusement que j'ai l'habitude. Je réussis toujours à me faire une place, d'abord en souriant aux gens, puis avec mes muscles si les sourires ne fonctionnent pas. Je m'installe à temps pour capter le Saint-Père qui descend de l'avion aux couleurs du Vatican, met un genou par terre et baise le sol de sa patrie. Un frisson parcourt la foule. Le monde entier verra ces images, mais pas les citoyens de Pologne. En effet, la télévision nationale, contrôlée par les communistes, diffuse l'événement en direct, mais s'abstient de montrer les scènes les plus émouvantes de la visite.

Le jour suivant, le pape célèbre une messe sur la place Royale devant une foule évaluée à plus de 800 000 personnes par la télévision française. Madeleine, qui regarde l'événement sur les moniteurs du Centre de la presse, croit qu'il n'y a que quelques dizaines de fidèles sur les lieux, car la télé polonaise ne montre que des gros plans du pape et de quelques dévots, mais aucune image de la foule immense ! À 16 heures, quand Jean-Paul II arrive, l'endroit est bondé, les gens ayant commencé à affluer dès les premières lueurs de l'aube. Je tourne des images des fidèles qui chantent et prient, en groupes ou en solo. Certains pleurent. Tout le monde est calme, recueilli. Je n'ai jamais vu une foule aussi disciplinée. Personne ne veut fournir aux autorités le moindre motif d'interrompre la visite. À la fin de la messe, le pape déclare au micro : « Moi, fils de la terre polonaise, moi, le pape Jean-Paul II, je crie du plus profond de ce millénaire, je crie pour que descende Ton Esprit et qu'Il renouvelle la face de la Terre, de cette Terre ! » Cette déclaration fait sensation, car elle est interprétée comme un appel à un changement de régime. Tout au long de son voyage, le pape prononcera des phrases au sous-entendu politique, comme : « Il ne peut y avoir une Europe juste sans l'indépendance de la Pologne. N'ayez pas peur ! » Pour moi, c'est l'équivalent du « Vive le Québec libre » lancé par le général de Gaulle à Montréal, en 1967.

Notre journée de travail étant terminée, je vais faire un tour en ville. Je remarque une foule impressionnante se dirigeant vers un bâtiment de deux étages. Je traîne toujours ma caméra avec moi, un vieux réflexe professionnel, mais ce soir-là, je me demande encore pourquoi, je l'ai laissée à l'hôtel. Je n'ai donc aucune image de la scène qui va suivre. L'immeuble abrite la curie où Jean-Paul II passe la nuit. À l'étage supérieur, deux drapeaux du Vatican éclairés par deux puissants projecteurs entourent une grande fenêtre ouverte sur la pénombre, d'où une voix douce émane de la noirceur : c'est le pape qui parle au micro à ses ouailles. Un fidèle m'explique en anglais que Jean-Paul II leur souhaite une bonne nuit et leur demande d'aller se coucher, car la journée sera longue demain. Les gens applaudissent en criant son nom ; ils le réclament. Tout à coup, comme dans un film, le pape apparaît enfin dans la lumière, tout habillé de blanc, et il bénit la foule. C'est l'hystérie dans la rue. J'ai peine à contenir mon émoi : tous ces gens qui espèrent tant d'un seul homme ! Le pape leur parlera encore pendant 15 minutes avant de rentrer dans ses appartements. Je ne comprends pas le polonais, mais je sens beaucoup d'amour et d'espoir dans son message. Malheureusement, je ne peux que me repasser ce film dans ma tête, aucune image d'archives n'ayant immortalisé cette soirée.

Les jours qui suivent se ressemblent. Le pape visite des lieux de culte dans différentes villes de Pologne, et partout le scénario se répète : prières en public, brève homélie, messe en plein air, foule recueillie. L'émotion promet d'être à son comble lorsqu'on annonce sa visite au camp de la mort d'Auschwitz-Birkenau, où plus d'un million de personnes ont été assassinées par les nazis. La majorité des victimes étaient des juifs, nés en Pologne et ailleurs, mais il y a eu aussi des officiers de l'armée polonaise, des gitans, des homosexuels, des résistants et des prisonniers soviétiques. Jean-Paul II a demandé que ce moment de prière se déroule dans le plus grand recueillement. Je me dis que les premières images d'un pape dans ce lieu horrible feront l'histoire, mais je suis loin de me douter que l'événement sera terni par l'attitude inexcusable d'une partie de la presse internationale.

Notre petite équipe arrive en retard à Auschwitz à cause de la circulation difficile, malgré les efforts du chauffeur. Les grands réseaux occupent déjà le terrain et nous nous retrouvons devant un grillage nous séparant des stalags 13 et 14. Le premier abritait les laboratoires du médecin nazi Josef Mengele, où les prisonniers étaient torturés à mort ;

l'autre est un regroupement de cellules donnant sur une cour où les victimes étaient fusillées. Sa façade de briques a été surnommée le *mur de la mort*. L'endroit est sinistre et donne la nausée. Des dizaines de photographes sont agglutinés devant la grille et se bousculent. Je m'avance avec ma caméra et j'entends un des types rouspéter en français. Lorsque je lui demande s'il veut bien bouger sa tête un peu pour que je puisse tourner, il refuse et menace de me « casser la gueule ». Il travaille pour le magazine français *Paris Match* et je n'oublierai jamais sa tête de nœud! Par chance, je vois du coin de l'œil un photographe entrer dans le stalag 14 par une porte dérobée; j'y vais et je me retrouve devant un gardien de sécurité bien baraqué. Je lui explique en français que je viens du Canada afin de filmer le pape. Pour une raison que je m'explique mal, il rigole et m'ouvre la porte. Le photographe lui avait peut-être versé un généreux pourboire…

J'entre dans une cellule sans lumière. J'avance encore et je vois Jean-Paul II, seul, dans la semi-pénombre, à genoux. Il prie en silence, les mains jointes, la tête penchée. La pellicule de l'époque ne me permet pas de tourner dans une telle obscurité. Quelqu'un me fait signe d'avancer, mais l'image de cet homme à genoux me trouble. Le pape prie dans ce qui fut la cellule d'un martyr polonais, le frère franciscain Maximilien Kolbe, qui échangea sa vie contre celle d'un père de famille condamné par les Allemands. Il sera d'ailleurs canonisé en 1982 par Jean-Paul II.

Je rejoins le photographe débrouillard et me retrouve avec lui dans la cour du stalag, face à la meute de nos collègues. En nous voyant, ceux-ci se mettent à hurler leur frustration d'être confinés de l'autre côté de la grille. Pour ne rien arranger, le type leur fait un doigt d'honneur. On entend alors une immense clameur de rage, et c'est le moment que choisit un gardien pour ouvrir la clôture. La horde sauvage qui déferle fait peur à voir. Je tourne ces images en me doutant bien qu'elles ne seront pas diffusées : les photographes crient, se lancent des injures et commencent à se frapper. Je suis bousculé, je reçois un coup de caméra sur la tête, un type donne un coup de poing à son voisin, tout ça pendant que le pape approche du *mur de la mort* au fond de la cour. J'ai tellement honte pour ma profession ! Je n'ai jamais vu de tels charognards à l'œuvre. Tout près de cette cohue hurlante, le pape s'agenouille et prie comme s'il n'entendait rien, puis il se relève vite et disparaît à l'intérieur du stalag. Fin du cirque.

On appelle ces mercenaires de la photo des *paparazzis*, des types prêts à toutes les bassesses pour obtenir LA photo qui fera la une des journaux ou des magazines. Une bonne photo exclusive peut leur rapporter des centaines de milliers de dollars et, pour eux, l'éthique professionnelle n'existe pas. Le mot *paparazzi* vient d'un film de Federico Fellini, *La Dolce Vita*, où un photographe à l'affût du moindre scandale, nommé Paparazzo, parcourt la ville de Rome en compagnie de Marcello Mastroianni. Le nom est ensuite resté.

•••

Pour la dernière étape de son retour en Pologne, Jean-Paul II se rend à Cracovie dont il a été l'évêque. Il revient chez lui en quelque sorte. Il va dire une messe à la cathédrale Saints-Stanislas-et-Venceslas située dans le château fort de Wawel, où reposent les rois, les reines et les héros nationaux de la Pologne. La foule est si compacte que nous ne pouvons approcher en voiture de l'entrée réservée aux médias. Madeleine et moi décidons d'y aller à pied, mais pour ce faire, il faut passer entre des centaines de milliers de Polonais ! Il se produit alors un phénomène étrange : la foule, voyant la caméra, s'écarte devant nous en silence et nous ouvre un passage. Les gens nous sourient, nous font de légers signes de tête, puis reprennent leur place derrière nous. C'est ainsi que nous arrivons au mur de la cathédrale où se produit un autre petit miracle : des gens nous tirent par la manche jusqu'à une porte secrète, où quelqu'un cogne discrètement. Un gardien nous laisse entrer, refermant la porte derrière nous !

Nous nous retrouvons dans une grande salle très sombre. Madeleine part en direction de l'estrade officielle, pendant que j'avance lentement vers une cour intérieure. L'endroit est bondé de dignitaires laïques et religieux. J'ai à peine le temps de me retourner et d'actionner ma caméra que le pape arrive sur mes talons ! J'étais passé devant lui sans le voir dans l'obscurité. C'est à ce moment que je comprends le statut de superstar donné à Jean-Paul II. Les invités se ruent vers lui : le protocole est oublié, c'est la *papamania*. Des prêtres, des religieuses et d'autres admirateurs essaient de toucher ses vêtements. Dans la cohue, quelqu'un me pousse et je suis projeté contre le Saint-Père. Par réflexe, j'essaie de garder mon équilibre et, ce faisant, je donne au pape un gros coup de coude. L'homme est petit de taille, mais costaud, et mon coude lui arrive en pleine poitrine. Je n'ai pas le temps de m'excuser : il continue de marcher sans réagir et se dirige vers une estrade où plusieurs centaines de personnes l'attendent avec ferveur. Je le suis avec la caméra au-dessus de ma tête. Il monte sur l'estrade et, à ce moment, une pluie de roses rouges lui tombe dessus. Pendant cinq bonnes minutes, les roses volent de toutes parts au milieu des applaudissements. Le pape fait signe à la foule de se calmer, en vain. J'enregistre tout, conscient de participer à un moment historique inédit.

Avant de retourner à Rome, Jean-Paul II remercie la presse internationale qui a témoigné de sa visite en Pologne. C'est donc vrai qu'un pape n'a pas de rancune! Il termine sa conférence de presse par ces mots en français: «À vous qui avez travaillé beaucoup, je vous dis merci. Je pense que vous êtes contents de votre séjour en Pologne, moi aussi. J'espère… J'espère qu'on pourra se revoir de nouveau dans ce pays, on va chercher une autre occasion… J'espère… J'espère… » Madeleine et moi sommes persuadés qu'il s'adresse à nous deux…

Jean-Paul II fera sept autres voyages en Pologne. Quand le mur de Berlin tombe en 1989, le dirigeant russe Mikhaïl Gorbatchev admet que cela n'aurait jamais été possible sans la présence de ce pape polonais.

Mes images me valent de jolies félicitations de la direction. Madeleine et moi avons développé une complicité qui dure encore. Ce tournage fait partie de mes plus beaux souvenirs.

UN SAINT HOMME À GENOUX

CANADA

Je vis en 1990 une autre expérience peu banale avec un chef religieux, le dalaï-lama. Le leader bouddhiste est en visite à Ottawa pour convaincre le gouvernement canadien d'appuyer son combat pacifique contre l'occupation chinoise du Tibet. Le premier ministre de l'époque, Brian Mulroney, refuse de le recevoir pour ne pas nuire à ses relations commerciales avec la Chine, mais le chef spirituel tibétain rencontre tout de même la presse pour faire passer son message.

Je suis cameraman pour la grande entrevue que donne le dalaï-lama au journaliste Robert Guy Scully dans une salle de l'Hôtel Sheraton d'Ottawa. Ce sera ma seule rencontre avec ce leader spirituel de millions de personnes. Le maître bouddhiste se déplace avec une suite de plusieurs personnes qui le vénèrent comme un dieu vivant. Il entre dans la salle et on le dirige vers un fauteuil. Le preneur de son, Serge Bouvier, a pour tâche d'installer un petit microphone sur le vêtement de l'auguste personnage. L'appareil est couvert d'une minuscule mousse destinée à filtrer les bruits para-sites, comme une respiration trop forte. Dans l'énervement, le petit bidule tombe par terre, et voilà mon collègue Bouvier à quatre pattes pour essayer de le retrouver. Voyant cela, le dalaï-lama se penche à son tour, puis se met à genoux pour retrouver la fameuse petite mousse. Surpris de voir le saint homme dans cette position, tout l'entourage du maître l'imite et s'agenouille aussitôt !

Je regarde avec consternation cette scène inouïe : le grand chef bouddhiste par terre avec sa suite, cherchant un acces-soire de microphone ! Seul le journaliste, toujours tiré à quatre épingles, reste debout, craignant peut-être de froisser son pantalon. Après quelques secondes, le bout de micro est retrouvé et tout le monde se relève. L'entrevue peut commen-cer. J'ai été tellement surpris par la scène que je n'ai pas eu le réflexe de la tourner. Quelle occasion ratée !

Bouddha a dit : « La simplicité procure plus de bonheur que la complexité... » Un message bien assimilé par son représentant sur Terre !

LES MURS DE LA HONTE

BERLIN, ALLEMAGNE

En juin 1987, Berlin-Ouest et Berlin-Est, séparés par le fameux mur depuis 1961, célèbrent le 750e anniversaire de la ville. Le président américain Ronald Reagan et son homologue soviétique Mikhaïl Gorbatchev sont sur place en visite officielle, chacun symbolisant la fracture idéologique entre capitalistes et communistes. J'arrive à Berlin pour un mois, dans l'espoir de tourner des images que je vendrai plus tard à Radio-Canada. Un journaliste local, Pierre Roelandts, que j'ai connu lors d'un précédent tournage, obtient pour moi les accréditations qui me permettront de couvrir cet anniversaire historique ainsi qu'une petite subvention du gouvernement ouest-allemand comprenant un appartement en ville et l'usage d'une camionnette. Un coup de pouce très apprécié pour un pigiste comme moi.

Je ne pensais pas que la vue de cette frontière artificielle, surnommée le *Mur de la honte*, aurait sur moi un tel impact. La méfiance paranoïaque qu'il symbolise, le mépris de toute humanité, le dédain d'un régime pour les droits fondamentaux de ses citoyens, tout cela me heurte au plus haut point. Aujourd'hui encore, je ne peux penser à ce monument d'imbécilité sans ressentir une rage sourde contre les humains communistes qui ont osé concrétiser un tel monument issu de cerveaux dérangés.

Toute la presse nord-américaine n'en a que pour le président étatsunien Reagan. Je décide alors de tourner la visite de Gorbatchev, ce qui me fournira des images rares, dont la visite de ce dernier à l'Opéra de Berlin-Est, le Staatsoper Unter Den Linden. J'en profite aussi pour capter quelques vues du Berlin communiste, comme le fameux quadrige de chevaux surplombant la porte de Brandebourg, mais de face, comme on le voit peu souvent. Les gardes est-allemands, appelés Vopos, pour volkspolizei (police du peuple), ne sont pas habitués à voir un cameraman circuler librement près d'une zone sensible et refusent d'apparaître dans mes images. Commence alors un jeu assez rigolo entre eux et moi; dès qu'ils me croient parti, je sors d'une cachette pour les filmer. Je réalise cependant assez vite que leur sens de l'humour est limité. Ils communiquent vraisemblablement avec leur hiérarchie, car après quelques minutes, un officier s'approche et m'intime de déguerpir. Plus tard, un fonctionnaire de la mairie de Berlin-Ouest me confirme que personne avant moi n'a réussi à filmer aussi longtemps les Vopos au travail, ainsi que le dispositif de barrières empêchant les évasions. Un *no man's land* sépare en fait deux murs où circulent les gardes ainsi que de nombreux lièvres sauvages qui profitent de l'absence des humains pour brouter à leur aise. Ils sont les seuls représentants d'une quelconque innocence en ces lieux interdits.

Me vient alors l'idée incongrue de réaliser un projet qu'à ma connaissance personne n'a réussi: filmer l'intégrale du mur, long de 155 kilomètres, avec ses 302 miradors. Je me dis qu'il est grand temps d'immortaliser pour la postérité ce monument de bêtise avant qu'il ne soit démoli. Puisque je peux circuler à ma guise du côté ouest, je me lance dans l'aventure et constate avec surprise que le mur de Berlin est une vue de l'esprit. En fait, il existe plusieurs murs !

Il y a d'abord le fameux Checkpoint Charlie, le principal lieu de passage entre les deux moitiés de Berlin. Du côté ouest, l'endroit est gardé par un consortium des trois armées alliées qui se partagent le territoire : les États-Unis, la France et la Grande-Bretagne. Les soldats y sont toujours en uniforme impeccable. C'est la portion du mur la plus photographiée de la ville ainsi que la plus grande murale artistique du monde. On y trouve de magnifiques œuvres d'art réalisées par des artistes comme le Français Thierry Noir et l'Allemand Peter Unsicker, dont les ateliers touchent presque le mur. Je décide d'interviewer Unsicker. Il me confie à la caméra l'importance de convertir ce mur désespérant en œuvre éphémère. Il installe sur le mur des visages grimaçants en trois dimensions, mais dit en avoir marre de voir son travail détruit la nuit par les policiers. Ne reculant devant rien, il est allé plaider sa cause à la mairie de Berlin-Est, où on a ri de lui. Mais au fil du temps, les gardes du mur ont fini par le laisser en paix. Il faut dire que le mur de béton est érigé à l'intérieur du territoire communiste ; des Vopos se promènent devant et peuvent arrêter toute personne qui s'approche du monument, y compris les artistes et les amateurs d'art libre. De son côté, Thierry Noir peint sur le mur d'immenses têtes humaines aux yeux globuleux, ce qui lui a souvent valu d'être pris en chasse par les Vopos armés.

Je filme aussi le *mur des espions*, le fameux pont de Glienicke, enjambant la rivière Havel dans la banlieue sud-ouest de Berlin. Ici, les services secrets américains et est-allemands échangent leurs espions, comme dans le film *Le pont des espions* de Steven Spielberg, ou encore dans l'aventure de James Bond, *Octopussy*. Le lieu est plutôt sinistre et dangereux.

Non loin de là, c'est le *mur des lacs*. Il s'agit du quartier de Berlin-Wannsee entouré de trois lacs reliés par un canal. C'est un parc aquatique où les Berlinois fréquentent des plages bucoliques et font de la voile. La zone communiste est délimitée par des bouées au milieu des étendues d'eau, et gare à l'imprudent canoteur qui franchira la frontière. Le grand plaisir des armées alliées est de narguer l'autre camp en pilotant leurs bateaux sur le grand lac jusqu'aux limites dangereuses. J'ai la chance de monter à bord d'un petit navire américain, mais je ne filme que des policiers est-allemands qui nous photographient à partir de leurs propres vedettes. Les gardiens des deux camps prennent un grand plaisir à se livrer à cette guerre des nerfs.

Un camping jouxte le grand lac Wannsee, sur un terrain un peu plus grand que le parc La Fontaine de Montréal. Les touristes ne connaissent pas cet endroit fréquenté par les Berlinois. Le mur entre l'ouest et l'est y est mal entretenu et plein de petits trous permettant de voir de l'autre côté. C'est une zone de relaxation familiale et l'ambiance y est moins oppressive qu'ailleurs en ville.

Je filme aussi ce que j'appelle le *mur bâclé*. Plus on s'éloigne du centre-ville, plus la muraille est négligée. Peut-être pour épargner du temps et de l'argent, les communistes ont tourné les coins ronds à plusieurs endroits. Le mur traverse des rues en diagonale, laissant à l'abandon de larges portions de terrain. Ailleurs, le mur de béton est remplacé par un simple grillage déjà surnommé le *mur démocratique*, d'où l'on peut observer les rares citoyens de Berlin-Est qui osent s'en approcher. On m'explique que les autorités communistes veulent ainsi montrer au reste du monde qu'elles n'ont rien à cacher ! Vraiment ? Plus loin, le métro passe de l'ouest vers une station située à l'est et les contrôles y sont rares. Piège ou négligence ? C'est ce que j'appelle le *mur vers nulle part*. Je découvre même un *mur oublié*, peuplé de squatters. Un sentier de terre battue que je suis au hasard débouche sur un amas de huttes en bois entourées de petits jardins. L'espace appartient officiellement aux communistes, qui laissent vivre en paix ces démunis, probablement parce qu'ils refusent le style de vie capitaliste. L'un d'eux m'explique que les Vopos viennent parfois discuter avec eux et échanger des cigarettes, à condition de ne jamais être pris en photo. Il y aurait donc des bons gars dans le clan d'en face...

Un matin, je surprends un groupe de jeunes femmes ouest-allemandes installées devant un mirador et faisant des gestes suggestifs aux Vopos du mur. Elles s'amusent comme des collégiennes et invitent les gars à déserter en montrant leurs jambes et leur poitrine. Les gardes rigolent et haussent les épaules, tout en vérifiant autour d'eux que personne ne les voit *flirter*. Ah, jeunesse... Devrais-je parler d'un *mur érotique* ?

Quelques jours plus tard, pendant que je filme un mirador, j'entends un hurlement de femme venant du côté est, suivi de quelques coups de feu. Est-ce une mise en scène pour m'intimider ou une véritable tentative d'évasion ? Je ne le saurai jamais. Une chose est sûre, à plusieurs endroits, les

Vopos que je filme portent leur arme à l'épaule et me mettent en joue quand je braque vers eux mon objectif. Au début, cela me donne des sueurs froides, mais je réalise vite qu'ils ne cherchent qu'à m'intimider. Je leur envoie des baisers de la main…

●●●

Partout où je travaille, les citoyens m'approuvent et certains applaudissent; leur haine du mur est féroce et ils font tout leur possible pour me faciliter la tâche. Une patrouille française m'amène un matin près d'un quartier où j'observe l'aspect malsain du petit jeu d'espionnage. Une croix de bois a été érigée au pied du mur, là où des citoyens est-allemands ont été abattus après avoir tenté de l'escalader. Chaque nuit, des Vopos descendent du mur pour arracher la croix et chaque jour, des gens de l'Ouest la reconstruisent. Les soldats de l'Est photographient les patrouilleurs français, et vice-versa. Ils notent les numéros de plaque des véhicules du camp adverse, rédigent un rapport et reviennent à leur base. Un jeu morbide. Je ne connaîtrai jamais les noms des victimes, pas plus qu'on ne connaîtra le nombre exact de citoyens est-allemands abattus en essayant de passer à l'Ouest.

Aux points les plus peuplés le long du mur, les autorités ouest-allemandes ont érigé des monticules de terre et de bois afin de permettre à leurs citoyens de saluer leurs amis ou les membres de leur famille restés coincés du côté communiste. Il faut beaucoup de courage à ces derniers pour s'exposer publiquement à la vue des Vopos, quitte à être fichés par la police secrète.

Je suis moi aussi fiché par les communistes. Je constate après quelques jours qu'une patrouille est-allemande me suit dans tous mes déplacements près du mur. Je suis filmé et photographié par des soldats chaque fois que j'installe ma caméra sur son trépied. Je finis par les appeler mes «camarades» par dérision. Un matin, j'arrive au mur deux heures en retard sur mon horaire habituel. Mes «camarades» semblent énervés de ne pas m'avoir trouvé plus tôt et paraissent très soulagés quand je reprends mon tournage après les avoir salués de la main. C'est ainsi que, pendant un mois, je filme la totalité du mur tombé en 1989, juste avant la chute de l'Empire soviétique.

On dit que la Stasi, les services secrets est-allemands, avait mis au point le système d'espionnage le plus sophistiqué du monde. Pour chaque citoyen de Berlin-Est, il y avait un espion qui notait tous ses faits et gestes! Cela me semble inimaginable, mais la connerie humaine n'a pas de limite. Ces milliards de rapports et de photographies ont été conservés. En 2007, quand je retourne à ce qui a été Berlin-Est, je demande officiellement aux autorités de voir mon dossier de la Stasi de 1987. À ma grande surprise, il existe toujours, mais ne contient plus que mon nom et un numéro. Lors du démantèlement du mur, tous les documents ont été envoyés à Moscou, où des équipes travailleraient encore à les analyser! Dans quel but? C'est ce que j'appelle le côté kafkaïen des communistes: multiplier les gestes inutiles au nom d'une logique tordue.

Ce tournage de Berlin, en 1987, donnera un documentaire de 10 minutes, diffusé à l'époque sur les ondes de Radio-Canada. La presque totalité de mes images du mur sont restées inédites jusqu'en 2019, alors qu'une boîte de production montréalaise, Alpha-Zoulou Films, a utilisé mes images dans un documentaire d'une heure diffusé en Europe et au Canada pour souligner le trentième anniversaire de la chute du mur. *Berlin, ou l'art de l'évasion*, réalisé par Jean Bergeron, a été présenté à Ici Radio-Canada RDI, Arte Allemagne, Arte France et France 3.

Je suis heureux que la population ait enfin accès à mes archives du *Mur de la honte*. Mon dégoût pour le système qui a engendré ce mur, ou plutôt ces murs, est demeuré intact après toutes ces années et je hais encore viscéralement tous les régimes totalitaires.

VRAIE ET FAUSSE MISÈRE

PHILIPPINES

En avril 1984, j'arrive aux Philippines en compagnie de la journaliste Madeleine Poulin pour prendre le pouls politique de ce pays mené d'une main de fer par le dictateur Ferdinand Marcos. Un an auparavant, le chef de l'opposition Benigno Aquino, de retour d'un long exil aux États-Unis, est assassiné à sa descente d'avion à l'aéroport de Manille. Sa veuve, Corazon Aquino, prend alors la direction du principal parti d'opposition. Des entrevues sont prévues avec Marcos et madame Aquino, mais comme c'est presque toujours le cas, il faut aussi tourner des reportages moins politiques pour rentabiliser le voyage.

Nous débarquons à Manille dans la moiteur tropicale; il fait 45 degrés. Nous sommes la veille du Vendredi saint, fête catholique célébrée ici par la majorité de la population. Chaque année, Manille est le lieu d'un rite sanglant censé rappeler la crucifixion du Christ: des gens portent une lourde croix à travers la ville, puis se font crucifier avec de vrais clous devant une foule excitée. À l'époque, aucune

station de télévision canadienne n'a encore filmé cette cérémonie et j'ai bien l'intention d'en rapporter les meilleures
images possible.

Un des lieux de crucifixion est situé sur une grande place,
non loin d'une immense montagne de déchets domestiques
où vivent des milliers de personnes. La mer est tout près,
mais il y a tellement de détritus sur la plage qu'il est impossible d'y faire trempette pour se rafraîchir. Des dizaines
d'enfants en guenilles me suivent pas à pas, une vraie nuée
de mouches. Ils ne sont pas agressifs et plutôt gentils, mais
ils me tirent les poils des bras, comme s'ils n'avaient jamais
vu d'homme blond. Il fait chaud, mon équipement pèse
lourd et ces enfants qui piaillent me tombent sur les nerfs.
Difficile de rester zen dans de telles conditions !

Une dame bien mise s'approche de notre interprète et
nous invite à monter chez elle, à l'abri des enfants, ce que
nous faisons volontiers ; elle est vêtue d'une belle robe de
soie et nous offre un soda bien froid. Le balcon de sa mai-
sonnette donne sur la place et offre une vue imprenable sur
la foule de plusieurs milliers de personnes. Je ne saurai
jamais qui était cette femme accueillante, mais je garde de
son hospitalité un souvenir chaleureux. Pendant que mon
assistant André Joubert installe une deuxième caméra au
balcon, je descends vers le lieu de la crucifixion pour tourner des gros plans.

Quelques minutes plus tard, j'entends une clameur
venant de la rue. C'est « Jésus » qui approche, vêtu d'une
tunique blanche et portant sa lourde croix sur l'épaule.
Autour de lui, une dizaine de Philippins déguisés en centu-
rions romains se flagellent avec des fouets rougis par le sang.
Lorsqu'ils approchent, une odeur dégueulasse me monte au

nez : des effluves de sang et de sueur rance émanent des illuminés, dont le dos saigne abondamment. Leurs fouets ont au moins l'avantage d'éloigner les mouches... J'apprendrai plus tard que ce sont des pénitents fanatiques qui se flagellent ainsi. Certains sont des prisonniers voulant expier leurs crimes, et qui retourneront en cellule dès la cérémonie terminée. Des femmes aussi se feraient crucifier, comme quoi Dieu n'est pas sexiste, mais aujourd'hui c'est un homme qui titube devant moi avec sa croix. Je surmonte mon dégoût et m'approche du spectacle. Une fois de plus, je réussis à oublier la puanteur du lieu pour me concentrer sur mes images. Il faut juste éviter que ma sueur ne tombe sur la lentille.

Action ! Le « supplicié » se couche sur sa croix ; l'heure est venue de lui planter des gros clous métalliques dans la main, ce qui est plus facile à dire qu'à faire. Le préposé à la crucifixion tremble et hésite, tandis que le crucifié, un bon gars quand même, lui indique avec son majeur où planter le clou dans sa main droite. Rien n'y fait, l'autre hésite encore. Un deuxième homme s'approche et montre à l'ouvrier où planter le clou, au milieu des articulations, entre le majeur et l'index. L'homme cogne une fois, deux fois, et vlan, la troisième fois est la bonne. Le sang coule à peine. La deuxième main y passe et hop, on hisse « Jésus » et sa croix en tirant sur des câbles. Les pieds du crucifié reposent sur une marche en bois, sinon les clous lui arracheraient les mains. « Jésus » n'émet aucune parole. La foule frôle l'hystérie : ça pleure, ça prie, ça applaudit pendant une quinzaine de minutes, puis on redescend le pauvre type pour lui enlever ses clous. Une ambulance se tient prête en cas d'urgence, mais n'intervient pas. « Jésus », un peu pâle, se relève, il est devenu le héros du jour! Je surmonte ma nausée et m'éloigne de la scène. J'ai des images qui valent de l'or!

Les émissions religieuses de Radio-Canada vont diffuser cette crucifixion pendant plusieurs années, dans le temps de Pâques, en prenant soin de préciser que l'Église catholique désapprouve ce genre de piété superstitieuse. Aujourd'hui, cette tradition sanglante est devenue une attraction à Manille. Les touristes peuvent photographier le phénomène en restant bien assis dans leur autocar climatisé. Ce qui était au départ un acte de foi primitif est devenu une source de revenus pour les agences de voyages. On n'arrête pas le progrès!

•••

Nous retournons dans le quartier, mais cette fois, c'est le dépotoir à ciel ouvert qui nous intéresse. La police ne s'aventure jamais sur ce territoire et c'est avec la complicité d'un prêtre, que j'appellerai le père Tony, que nous commençons notre expédition. Notre guide est respecté par les habitants du dépotoir parce qu'il dirige un organisme de charité qui leur prodigue soins et nourriture. Il tient à ce que nous fassions la visite tôt en matinée, car dès 15 heures, les membres de clans rivaux, déjà éméchés, s'y livrent des combats souvent mortels. L'avertissement n'est pas vain puisque, à notre arrivée, nous sommes témoins d'une violente bagarre entre deux groupes armés de couteaux et il n'est que 9 heures! Nous les contournons prudemment.

Plus de 80 000 personnes vivent en permanence sur le plus gros tas de déchets des Philippines, appelé Smokey Mountain. Imaginez une ville construite sur une pile de détritus haute de 50 mètres. Les pauvres parmi les plus pauvres fouillent toute la journée dans les nouveaux arrivages de déchets, en quête d'objets à recycler ou à revendre. L'odeur est à la limite du supportable, car les autorités mettent régulièrement le feu au tas d'ordures, de sorte qu'une fumée âcre se mêle aux relents pestilentiels. En haut de la pile, des habitations de fortune ont été construites avec les plus gros détritus. Les abris les plus imposants, pouvant loger des familles entières, ont des carcasses de sommiers en guise de murs. Il n'y a pas d'eau courante, mais certains « riches » ont l'électricité grâce à des fils connectés illégalement aux poteaux du quartier voisin.

La corruption est endémique à Smokey Mountain et des gangs armés y font la loi. Ces gangs dépendent de chefs de clans qui contrôlent la corruption grâce à un régime de terreur. Nous avançons sur le tas d'ordures avec l'impression de marcher sur des éponges, tant le sol est instable. Les débris de nourriture ont déjà été récupérés par les éboueurs avant de se rendre ici, alors sous nos pieds fermentent un million de tonnes de plastique, métaux divers, bois, verre et rebuts domestiques. Une armée de rats s'y creusent des terriers et menacent à tout instant de mordre les habitants les plus faibles, les enfants et les bébés. Il n'y a pas de vieillards à Smokey Mountain. Ici, à 40 ans, un homme est déjà arrivé au bout de son espérance de vie. Je me demande pourquoi nous n'avons pas apporté de masques, mais à 45 degrés, la respiration est déjà difficile. Au moins, nous portons des bottes de caoutchouc.

Nous faisons quelques entrevues avec des gens qui, je m'en étonne grandement, semblent heureux et nous sourient gentiment. La plupart vont pieds nus, ou chaussés de vieilles sandales dépareillées. Leurs habits tombent en lambeaux et ils sont tous d'une saleté repoussante. Le gouvernement a bien essayé de les reloger dans un autre quartier il y a un an, mais les habitants de la montagne fumante devaient y revenir chaque jour pour fouiller les ordures; le coût du trajet en bus dépassant leurs revenus quotidiens, plusieurs ont dû retourner dans leurs campements de misère. Le revenu moyen d'un « montagnard » est d'environ un cent par jour.

Le père Tony nous présente un chef de clan très fier de nous accueillir dans sa piaule. Des meubles défoncés, des bouts de tapis et une vieille télé en noir et blanc qui grésille dans un coin sont témoins de sa « richesse » et de son pouvoir. Nous avons apporté des sandwiches et des bouteilles d'eau, mais l'odeur nous enlève tout appétit. Le prêtre lui donne notre nourriture et il s'en montre très reconnaissant. L'homme veut nous convaincre que son clan est le meilleur, le plus fort, et que les gens sont heureux de vivre sous sa protection. Il peste contre la municipalité, qui persiste à vouloir les reloger ailleurs.

J'aimerais bien aller au petit coin, mais je n'ose pas imaginer à quoi ressemblent les toilettes sur cette montagne. Je décide de penser à autre chose. De toute façon, il est presque 15 heures et il nous faut redescendre de Smokey Mountain. De retour à l'hôtel, je me débarrasse de mes vêtements et prends une longue douche, de laquelle je profite à fond! Je bois plusieurs cannettes de coca pour m'enlever de la bouche un goût persistant de pourriture.

•••

Le lendemain commence la partie politique du tournage. Le dictateur Ferdinand Marcos nous attend dans son palais. Nous traversons une vingtaine de petits salons avant d'arriver dans une grande salle joliment décorée où doit se passer l'entrevue. On nous explique que le président sera assis derrière un gros bureau posé sur un piédestal. La journaliste devra se tenir debout, en bas du podium, et poser ses questions en anglais. Ce décor ne me va pas du tout. Dans une entrevue, l'invité et le journaliste doivent toujours se situer au même niveau, pour permettre à la caméra de capter une image dite objective. Sinon, le journaliste est en état d'infériorité et l'invité trône en dominateur. C'est de toute évidence le but recherché par Marcos. Je décide que, cette fois, le dictateur va se plier à mes convenances. À sept mètres du podium, se trouvent une table et des fauteuils ; c'est là que Madeleine Poulin va s'asseoir pour poser ses questions. À cause de cette distance, Marcos n'aura pas le dessus sur elle. Il est très surpris de voir mon installation quand il se pointe quelques minutes plus tard. Je lui explique qu'au Canada, les journalistes ne se mettent jamais debout devant un invité assis. Déconcerté, il accepte. À l'écran, Madeleine aura l'air très digne dans son fauteuil, et lui ressemblera à un homme désireux de se cacher derrière son bureau. Et comme Marcos est dur de la feuille, il doit se pencher pour entendre les questions, ce qui lui donne vraiment l'air d'un vieillard impotent. Bien fait pour toi, me dis-je, personne ne va humilier Madeleine Poulin en ma présence !

L'entrevue se déroule bien malgré tout. Madeleine lui fait reconnaître qu'il a emprisonné de nombreux politiciens et journalistes, mais, se défend-il, « c'est parce que ces sympathisants communistes ont fait circuler des documents subversifs». Toute publication faisant mention des atrocités du régime est considérée comme révolutionnaire par Marcos. Madeleine lui fait commenter une éventuelle candidature de Corazon Aquino aux prochaines élections présidentielles. Le dictateur répond : « C'est une fausse rumeur propagée par les journalistes étrangers comme vous. » Madeleine ne se laisse pas démonter, sachant que Marcos n'oserait jamais s'en prendre à une vedette de l'information canadienne, d'autant qu'elle a prévu rencontrer madame Aquino le jour suivant.

Celle-ci nous reçoit aux bureaux de son parti, Unido, dans le quartier Makati, le plus chic de la ville. Cette fois, pas de protocole intimidant : Cory, comme l'appellent ses admirateurs, nous donne une entrevue en français. Elle explique que son mari a été assassiné il y a quelques mois par un soldat, mais, prudente, refuse de lier cet attentat au président Marcos. Elle poursuit en affirmant son désir de se porter candidate aux élections de 1986, malgré toutes les embûches semées contre l'opposition par le vieux dictateur. Pendant l'entrevue, par un heureux hasard, des partis d'opposition, dont le sien, défilent dans la rue en criant des slogans hostiles à Marcos. Tous les mouvements d'opposition portent une seule couleur : le jaune. J'en profite pour tourner des images très colorées.

•••

Comme il nous reste quelques jours à passer à Manille, nous allons tourner deux autres reportages d'appoint. Nos patrons ne pourront pas nous accuser de paresse.

Aux Philippines se trouvent alors d'importantes bases militaires étatsuniennes : Clark et Subic Bay. Les partis d'opposition philippins réclament le départ des Américains, car ils les soupçonnent d'entreposer des bombes atomiques dans leurs bases. Une fois les autorisations obtenues, on me permet de filmer tout ce que je veux, y compris les avions de chasse Phantoms F-4, qui peuvent, en théorie, transporter des bombes nucléaires. Les États-Unis n'ont jamais confirmé que Clark et Subic abritent ce genre de matériel, mais un officier américain, le colonel McFarland[3], nous l'affirmera indirectement. Madeleine lui dit : « Vous avez ici du matériel impressionnant, et même des avions pouvant transporter des bombes atomiques. » Et le colonel de répondre : « Tant qu'à posséder ces avions, nous serions bien bêtes de ne pas avoir le chargement qui va avec ! » C'est alors que son chargé des relations publiques s'étrangle et mentionne au colonel : « Vous voulez dire, colonel, que vous ne pouvez confirmer ni infirmer la rumeur que nous avons ici l'arme atomique ! » Le colonel, soudain conscient de sa gaffe, reprend mot pour mot la suggestion de son adjoint, mais le pot aux roses est découvert : nous avons la confirmation que l'opposition philippine a raison !

Malheureusement, les publics philippin et américain ne regardant pas les nouvelles télévisées du Québec, l'information restera confidentielle et ne sera pas reprise par la presse internationale.

À la base de Subic Bay, un tout autre portrait nous attend. Près de là se trouve la municipalité d'Olongapo, surnommée Sin City, *la ville du péché.* Ici, vivent et travaillent des milliers de prostitués des deux sexes, mais surtout des femmes, pour

---

3. J'ai visionné ce reportage aux archives de la SRC : le prénom de ce colonel et son titre exact à la base américaine n'étaient pas précisés.

satisfaire les besoins des soldats américains basés à Subic. Le trafic du sexe est bien connu de tous, et même si la prostitution est illégale aux Philippines, les autorités ferment les yeux, car l'argent, n'est-ce pas, est le nerf de la guerre.

Il y a ici au moins 300 bars où 16 000 jeunes personnes sollicitent les faveurs des marins de passage. Elles viennent des régions rurales et subviennent ainsi aux besoins de leurs parents. Nous visitons quelques bars en compagnie du maire américain d'Olongapo, Richard Gordon. Ce dernier nous précise qu'il faudrait remplacer le mot *prostitution* par celui de *pauvreté*. C'est pour ne pas mourir de faim que les jeunes filles offrent leurs charmes ; elles ne réclament aucun paiement pour leurs services et dépendent entièrement du bon vouloir du client. Il arrive parfois que l'une d'entre elles gagne le gros lot et épouse un Américain tombé amoureux d'elle ; la jeune Philippine reçoit immédiatement la citoyenneté américaine et peut alors rêver d'une vie plus aisée. Souvent, les belles promesses s'envolent et la jeune femme se retrouve enceinte d'un type qu'elle ne reverra jamais : plus de la moitié des bébés nés aux Philippines sont illégitimes ! Madeleine fait quelques entrevues avec des prostituées. Une des femmes interrogées nous avoue candidement avoir eu trois enfants de trois Américains différents, et elle doit travailler encore plus fort que d'autres pour les nourrir. L'opéra *Madame Butterfly* sans la musique…

Nous faisons la tournée de quelques bars de la base avec la permission de tout filmer. Partout, la scène est triste à pleurer ! Sous une boule en miroir fournissant un maigre éclairage, sur fond de disco tonitruante, des couples disparates d'Américains et de Philippines sirotent leurs drinks sans se dire un mot en attendant que le marin se décide à partir avec la fille. Celle-ci est toute menue et maigre, alors que le grand gars a des biceps tatoués et surdéveloppés. Ces images blafardes me dépriment au plus haut point.

Sept ans plus tard, la gigantesque éruption du mont Pinatubo, situé à quelques kilomètres, entraînera la fermeture de la base Clark. Celle de Subic suivra en 1992, mais Olongapo reste une destination de choix pour le tourisme sexuel international.

VRAIE ET FAUSSE MISÈRE

(SUITE)

Je retourne aux Philippines en 1987 avec le journaliste Claude Sauvé. La situation a bien changé : lors d'élections précipitées en 1986, Marcos a été chassé du pouvoir et exilé à Hawaï par les Américains. Corazon Aquino est devenue présidente, mais c'est le chaos : la minorité musulmane du pays, qui compte 10 % de la population, réclame l'indépendance de la région de Mindanao, qui deviendrait un État soumis à la charia et non aux lois de Manille. Pour l'instant, une trêve est en cours et les combats entre l'armée philippine et les rebelles musulmans ont cessé. Pour montrer sa bonne foi, le gouvernement Aquino permet à la presse internationale de se rendre en territoire rebelle, à ses risques et périls, ce que nous faisons de bon gré, car les images de ces séparatistes en action sont rares.

Nous couchons d'abord à Zamboanga, ville musulmane du sud-ouest des Philippines ; c'est une étape vers l'île de Jolo, où loge le noyau dur de la rébellion. Les tensions sont encore vives. Le jour de notre arrivée, nous assistons aux funérailles d'un officier de l'armée régulière assassiné par un jeune musulman. Je filme le cortège très fleuri suivi de plusieurs musiciens, comme un enterrement à La Nouvelle-Orléans. Le tueur a filé en zone rebelle, où nous sommes attendus le lendemain.

Notre vieux DC-3 atterrit à bonne distance de Jolo, notre destination. Les soldats de l'armée philippine qui nous accompagnent nous laissent à l'entrée d'une zone neutre interdite à tous les combattants. Nous sommes accompagnés par le leader musulman Nur Misuari, du Front Moro de libération nationale, qui revient d'Arabie saoudite. Sa présence nous sert de sauf-conduit auprès des rebelles et témoigne de l'implication des Saoudiens dans les soulèvements musulmans à travers le monde. Sans m'en douter, je vais tourner de lui des images historiques, car son retour est l'équivalent de celui, en Iran, de l'ayatollah Khomeyni !

Une Jeep nous conduit quelques kilomètres plus loin, dans la jungle, où une dizaine d'hommes armés nous attendent. Nous quittons le véhicule pour suivre une piste à travers la forêt. Il fait très chaud et les moustiques se font rares, mais je dois régulièrement enlever la sueur de mes lunettes pour voir ce que je filme. Après une bonne heure de marche, nous arrivons à une clairière où un village de rebelles s'apprête à nous offrir un banquet. Une immense table a été dressée au centre de la clairière, où on nous sert un grand repas de fruits frais et grillés. Le journaliste Claude Sauvé et mon assistant Marc se régalent pendant que je parcours le village en quête d'images pittoresques. Soudain, on crie au meurtre autour de moi ! Un rebelle vient me prendre délicatement par le bras et me ramène à la table. Sans le savoir, j'avais pénétré dans le secteur réservé aux femmes, ce qui constitue une grave offense pour elles. Mais comme je suis étranger, tout le monde préfère en rire. Les enfants nous dévisagent de près, comme s'ils n'avaient jamais vu de Blancs. Cela m'amuse.

Le commandant du camp se fait appeler Kadhafi. Il a été formé et financé par le dictateur de la Libye, qu'il admire énormément. Il salue avec respect monsieur Misuari, qui deviendra dans quelques jours, je l'ignore encore, le principal interlocuteur des musulmans avec le gouvernement Aquino. Pour nous montrer le sérieux de leur démarche, les hommes de Kadhafi se livrent à de piteux exercices militaires devant ma caméra : gauche, droite, gauche, droite ! Ils sont vêtus de haillons et vont pieds nus. Je m'interdis le moindre sourire moqueur, car leurs regards sont foudroyants. Nous enregistrons de nombreuses entrevues avec les rebelles, conscients de détenir une exclusivité mondiale.

De retour à Manille, où nous attend madame Aquino, rien ne va plus : une mutinerie vient d'éclater dans l'armée, dont une faction réclame le retour de ses privilèges. Du temps de Marcos, les pots-de-vin engraissaient l'appareil militaire, mais Aquino a mis fin à ces trafics, causant beaucoup d'insatisfaction chez les officiers corrompus. Je filme des images de combats sporadiques dans la rue ainsi que devant le siège de la télévision nationale encore aux mains des mutins. C'est seulement trois jours plus tard que, le calme revenu, la présidente nous fait savoir qu'elle est disposée à nous parler. L'entrevue n'aura pas lieu au palais présidentiel, mais à la base aérienne de Villamor, où a débuté la mutinerie et où les meneurs sont maintenant emprisonnés. Je découvre une Corazon Aquino bien décidée à imposer sa gouvernance au pays.

La présidente nous accorde une entrevue exclusive, car elle garde un excellent souvenir de la télévision canadienne. Elle veut nous remercier d'avoir diffusé ses propos en 1984, alors que son sort était plus qu'incertain. La présidente confirme à Claude Sauvé sa détermination à ne pas se laisser abattre par l'adversité. Elle se dit consciente que les sympathisants du dictateur déchu sont toujours à l'œuvre pour saper son autorité, mais que cette fois, elle ne se laissera pas dominer par ces «mâles chauvins qui me sous-estiment»! Courageusement, une fois l'entrevue terminée, madame Aquino part dans la jungle, sans armes, discuter avec Nur Misuari d'un possible traité de paix et de la reconnaissance d'un État islamique à Mindanao.

Pour clore en beauté notre sujet, nous quittons en direction d'Hawaï, où nous avons obtenu un tête-à-tête avec l'ex-dictateur Ferdinand Marcos. À cause du décalage horaire, nous y arrivons le même jour, mais avec 36 heures de veille dans le corps.

Marcos est logé avec sa suite composée d'une centaine de personnes dans une luxueuse villa en montagne. Les journalistes locaux y font le pied de grue dans l'espoir d'obtenir de lui une entrevue, mais l'homme ne reçoit que la presse internationale. Notre entrée dans la villa nous vaut des huées de la part de nos collègues hawaïens. Cette fois, pas de piédestal! Il nous aborde chaleureusement et s'excuse de retarder notre entretien, car il doit donner en direct une entrevue à la télé australienne dans quelques minutes. Par malchance, le cameraman engagé pour l'occasion n'a pas de rampe d'éclairage dans son sac et me demande de le dépanner. Selon mon code d'honneur, un cameraman doit toujours venir en aide à un collègue dans le pétrin. Je monte donc à son intention quelques projecteurs qui me serviront aussi pour mon entrevue. Pendant que Marcos fait le beau pour les Australiens, je passe au jardin. À ma grande surprise, Imelda, son épouse, m'y rejoint. Elle se plaint de l'extrême indigence dans laquelle l'exil l'a plongée. À l'écouter, elle ne mangerait qu'un sandwich de temps à autre. Pendant qu'elle se lamente, mon regard est fasciné par l'énorme perle qu'elle porte au cou, un truc d'au moins un centimètre qui doit valoir une fortune. J'ai lu avant d'arriver qu'elle a fait transporter à Hawaï sa collection de milliers de paires de chaussures. Ah, la misère des riches ! Je pense aux habitants de Smokey Mountain qui se contenteraient bien d'un sandwich par jour.

L'entrevue avec Marcos est du même acabit : il se plaint de ne pas manger à sa faim, sans penser une seconde qu'il pourrait se priver de sa centaine de serviteurs. Il n'évoque pas non plus les milliards de dollars qu'il a planqués dans des abris fiscaux et qu'Aquino aimerait bien redonner au peuple. Toute cette hypocrisie m'écœure. Il est grand temps pour moi de revenir à Montréal, j'ai atteint mon quota de dictateurs pour un bout de temps. Encore aujourd'hui, je vois aux nouvelles des gens comme Marcos qui affament leurs peuples et les empêchent de s'épanouir. La cupidité humaine a encore de beaux jours devant elle !

UN SECRET NUCLÉAIRE INQUIÉTANT

ÉTATS-UNIS/MEXIQUE/CANADA

On ne nous dit pas tout. Sous prétexte de ne pas créer de panique dans la population, les gouvernements taisent bien souvent les accidents nucléaires, sauf quand ils deviennent trop évidents, comme celui de la centrale atomique de Fukushima au Japon, en 2011. On se rappelle tous aussi la bavure de Tchernobyl en Ukraine, qui a causé un immense nuage radioactif en 1986. L'image de ce brouillard toxique a fait le tour de la planète, mais, par miracle, cette nuée «s'est arrêtée juste à la frontière de la France» sans y faire officiellement de dégâts, selon le gouvernement français. Pourtant, il semblerait qu'il soit encore interdit de consommer les champignons radioactifs de certaines parties du Jura! Aux États-Unis, en Pennsylvanie, la centrale de Three Mile Island a causé une grande frayeur en mars 1979, quand une partie du réacteur a fondu. Ces accidents ont fait la manchette, mais il y a bien d'autres cas d'irradiation accidentelle que les autorités ont cachés, comme celui dont j'ai été témoin en 1984. Cet épisode méconnu est pourtant le plus grave incident nucléaire à s'être produit en Amérique du Nord...

Un article du *New York Times* mentionne cette année-là la contamination radioactive accidentelle de nombreux sites et de plusieurs centaines de personnes aux États-Unis et au Mexique. En compagnie du journaliste Bertrand de la Grange et du réalisateur Magnus Isaacson, je pars aux États-Unis sur la piste de cette histoire étrange. Nous apprendrons au fil de notre enquête que cette irradiation a touché le Canada et que les autorités de notre pays ont essayé d'étouffer l'affaire.

Tout ça commence par hasard. Un camionneur du Nouveau-Mexique doit livrer un chargement de barres de métal destinées à la construction résidentielle. Arrivé devant le Laboratoire national de Los Alamos, un énorme complexe de recherche sur l'énergie nucléaire, notre homme se trompe de direction et s'engage dans l'entrée du vaste laboratoire. On lui demande de faire demi-tour, il s'exécute, quand soudain des sirènes d'alarme stridentes se mettent à rugir. L'entrée du laboratoire est équipée de détecteurs de radioactivité et le camion de livraison vient de déclencher une alerte rouge ! Les barres de métal qu'il contient sont hautement contaminées. C'est le début d'une enquête ahurissante.

Les inspecteurs de la Commission de réglementation nucléaire des États-Unis remontent la piste des barres de métal radioactives et trouvent l'origine du problème : la ville de Ciudad Juárez, au Mexique. En 1977, la clinique de santé Centro Medico de cette ville achète un appareil usagé de traitement du cancer par radiothérapie, un Picker 3000, fonctionnant au cobalt 60 et datant des années 1960.

La clinique n'ayant pas les moyens d'engager un technicien spécialisé pour manœuvrer cet équipement, l'appareil est donc remisé dans un entrepôt où il restera pendant sept ans. Le matériel radioactif est bien protégé dans un caisson de plomb à l'intérieur de la machine. En 1984, le directeur de la clinique, Luis Mendes Bitar, demande à un électricien de se débarrasser du contenu de l'entrepôt, ce qui va déclencher une série de catastrophes.

Pour suivre la piste de la contamination, nous entrons au Mexique comme touristes, ce qui m'indispose passablement. N'ayant pas prévu de tourner dans ce pays, nous n'avons pas les autorisations nécessaires pour faire entrer au Mexique de l'équipement de télévision professionnel. Si un douanier fouillait la valise de notre véhicule, il pourrait saisir tout mon matériel (j'en ai pour plus de 100 000 $!) et me coller une sérieuse amende. Le réalisateur et le journaliste balaient mes objections et nous passons la frontière sans problème. Comme c'est toujours le cas, le cameraman n'a pas son mot à dire dans l'organisation des reportages à l'étranger, mais c'est lui qui subit les pires conséquences en cas de pépin. Heureusement, cette fois, mes craintes ne se concrétisent pas, mais je grommelle intérieurement.

Monsieur Bitar, le directeur de la clinique, refuse d'abord de nous rencontrer, préférant faire profil bas. De la Grange et Isaacson décident alors d'aller le voir à son bureau, où nous entrons de façon cavalière, je dois l'admettre. Ma caméra impressionne le bon docteur. Devant notre insistance, le médecin nous raconte l'histoire, niant toute responsabilité personnelle dans les événements qui vont suivre.

L'électricien chargé de nettoyer l'entrepôt, Vincente Sotelo, demande à un copain de l'aider à charger l'appareil au cobalt 60 dans son camion. Les deux hommes ignorent tout du contenu dangereux de la machine et la démontent en plusieurs morceaux pour faciliter son transport. Au centre d'un caisson de plomb, ils découvrent une rondelle en tungstène de 30 centimètres : c'est le cœur radioactif. Ils jettent le tout dans le camion afin d'aller vendre l'appareil pour 9 $ à un récupérateur de métal usagé. Pendant le transport, la rondelle se fendille. Cette dernière contient plus de 6000 petites billes de métal enrichies au cobalt 60, dont chacune émet 25 rads de radioactivité à l'heure : un rad est l'unité d'absorption par le corps humain et un niveau de 50 rads est extrêmement dangereux. Ainsi, 450 rads vous tuent instantanément. En comparaison, un rayon X chez le pneumologue vous bombarde de 30/1000 de rad. Plusieurs de ces billes s'échappent donc du camion et roulent dans la nature. Chez le ferrailleur, on en trouvera des milliers un peu partout sur le terrain. Le métal de l'électricien Sotelo est ensuite vendu en vrac à une fonderie, la Falcon, puis à deux usines où l'on fabrique des barres de métal ainsi que des pieds de tables destinés à des restaurants. Ces objets sont alors disséminés dans une trentaine d'États américains et mexicains ! À chaque étape du transport, le cobalt 60 irradie les gens et contamine l'environnement.

● ● ●

Notre documentaire se poursuit chez les différents intervenants mexicains : nous rencontrons Vincente Sotelo et sa famille qui semblent légèrement enrhumés. Madame Sotelo confirme que des médecins l'ont examinée, ainsi que son mari et leurs enfants : « Ils nous ont dit que la radioactivité est dangereuse et que nous pourrions éprouver des nausées, perdre nos cheveux et nos ongles. Les enfants du quartier ont joué pendant des semaines dans le camion de mon mari, mais eux, personne ne les a auscultés. » Je filme le camion immobilisé dans un champ derrière la maison familiale. Malgré le danger, personne n'est encore venu le récupérer.

Nous filons ensuite vers la fonderie Falcon, où l'homme qui a fondu le cylindre radioactif nous reçoit avec gentillesse. Augustin Bienueva affirme souffrir de maux de tête et de vomissements qui lui ont coupé l'appétit. Il a aussi de petites taches noires sur les mains. Il précise que des médecins ont prélevé des échantillons de sa peau, mais lui ont dit de ne pas s'inquiéter. Bertrand de la Grange lui demande s'il croit ces médecins. L'homme répond avec philosophie : « Ce sont eux les spécialistes, pas moi. » On sait maintenant que plus de 200 Mexicains ont été contaminés gravement par ce cobalt 60.

Nous retraçons un entrepreneur en construction qui a supervisé la récupération d'une partie des 900 tonnes de barres de métal radioactives. Plus de 200 maisons ont été construites avec du ciment contenant ces barres, et plus d'une centaine ont dû être démolies. Aucun de leurs habitants n'a subi d'examen médical.

Nous nous tournons ensuite vers les pieds de tables radioactifs vendus dans des restaurants. Un employé de la fonderie nous avoue que certains ont été vendus au Canada, mais il ignore combien. Il sait par contre que c'est un restaurant de Winnipeg, au Manitoba, qui les a achetés ! Notre histoire prend soudainement un angle national.

De retour au Canada, nous rencontrons à Ottawa un fonctionnaire de la Commission de contrôle de l'énergie atomique, monsieur G., qui nous confirme l'information. Des pieds de tables radioactifs ont bel et bien été installés dans un restaurant de Winnipeg, mais le fonctionnaire refuse d'en dire plus « pour ne pas inquiéter inutilement la population ». Il affirme que des inspecteurs de la Commission se sont rendus au restaurant en question, qu'il ne veut pas identifier, et ont analysé la radioactivité des pieds de tables dangereux. Ceux-ci ont été retournés à la fonderie du Mexique, mais il ignore ce qu'il en est advenu par la suite. Le nombre de rads, selon lui, équivalait à ce que donne une radiographie pulmonaire. Selon notre journaliste, c'est assez inquiétant pour des clients qui ont consommé un ou plusieurs repas dans cet établissement. Il nous faut donc aller à Winnipeg conclure notre enquête.

Au Manitoba, nous retrouvons l'homme qui a vendu les fameux pieds de tables au restaurant de Winnipeg. Il refuse de donner une entrevue pour la télévision et le réalisateur décide de le tourner en caméra cachée malgré mes objections. Je n'aime pas filmer les gens à leur insu, surtout lorsqu'ils sont de bonne foi et que leur entreprise pourrait souffrir inutilement d'une mauvaise publicité. Mais je n'ai pas mon mot à dire et je filme, tapi dans la voiture, pendant que Bertrand de la Grange lui parle en dissimulant son microphone. L'homme confirme au journaliste toute l'histoire de ce métal dangereux, mais refuse d'identifier le restaurant. À ce jour, aucun des clients de cet établissement n'a été averti des risques d'une contamination radioactive. Le restaurant, le gouvernement et la Commission de contrôle de l'énergie atomique du Canada ont ainsi évité les poursuites judiciaires d'éventuels clients rendus malades par le cobalt 60.

À ma connaissance, il n'existe aucun procédé de détection de la radioactivité dans les fonderies et les sociétés de récupération du vieux métal. Ce dernier provient de divers pays et il est pratiquement impossible d'en connaître la source exacte.

Je vous le disais : on ne nous dit pas tout… mais le public est-il prêt à entendre la vérité ? Personne à Winnipeg n'a cherché à découvrir la suite de l'histoire…

BLUES POST-GÉNOCIDE

RWANDA

J'arrive au Rwanda à la fin de juillet 1994 avec le journaliste Raymond Saint-Pierre et le réalisateur Jean-Jacques Simon. La guerre civile entre Hutus et Tutsis achève, mais le cessez-le-feu définitif n'a pas encore été signé. Des combats sporadiques déchirent encore le pays. La Mission des Nations Unies pour l'assistance au Rwanda (MINUAR) est sur place, dirigée par le général canadien Roméo Dallaire. Les tueries viennent de faire au moins 800 000 victimes, des Tutsis pour la plupart, mais également des Hutus modérés ou opposés au génocide.

C'est l'entrée en jeu de l'armée de Paul Kagame, un Tutsi venu de l'Ouganda voisin, qui permet aux Tutsis de se déclarer finalement vainqueurs au Rwanda. Les Hutus se réfugient alors en masse dans des camps de réfugiés d'un pays voisin, le Zaïre, devenu la République démocratique du Congo depuis. Notre but est de témoigner de la situation, mais notre mission devra être tournée en quelques jours seulement, à cause des budgets serrés de Radio-Canada. Ce sera difficile en si peu de temps de démêler tous les éléments de ce conflit ethnique issu de l'ère coloniale belge. Je ne le sais pas encore, mais ce tournage pourrait bien être mon dernier, car l'expression *un pays à feu et à sang* prend ici tout son sens. Je ne suis pas un cameraman de guerre et je n'aime pas mettre ma vie en danger. En même temps, j'adore me trouver au centre de l'action. Ma femme appelle cela *mon paradoxe*.

L'aéroport de la capitale Kigali est très moderne, vu de loin, mais en y entrant, je découvre que toutes les fenêtres sont défoncées. Les restes d'un avion calciné gisent près d'une piste. De toute évidence, les combats ont été rudes ici. Il règne sur la ville l'odeur du charbon de bois utilisé en cuisine, omniprésente en Afrique. Le temps est superbe et la végétation luxuriante. Nous nous installons à l'Hôtel des Mille Collines, sur les hauteurs de la ville, un endroit qui vient d'abriter des centaines de Tutsis cherchant à fuir les tueries. Le lieu est relativement confortable, il n'y a pas de sang sur les murs et des camions-citernes remplissent régulièrement la piscine, d'où provient l'eau de l'hôtel. La nuit, des chiens errants se nourrissant de cadavres viennent y boire. En effet, Kigali n'a pas été nettoyé entièrement et des restes humains gisent dans les terrains vagues. La chambre du réalisateur sent même la mort.

Nous avons pris rendez-vous avec le général Roméo Dallaire, qui nous attend au quartier général de la MINUAR, près du stade Amohoro où sont entassées des milliers de personnes, en majorité hutues. Par un revirement ironique de la situation, les assassins d'hier sont devenus des «citoyens en danger» depuis la victoire tutsie, et l'ONU a pour mission de leur sauver la vie. Ce qui me frappe d'abord chez le général, c'est qu'il porte des mocassins Hush Puppies et non des bottes militaires. Peut-être veut-il ainsi montrer aux Africains qu'il est en mission de paix. L'homme est solidement bâti; sa poignée de main est ferme et son regard direct. Son propos, par contre, me paraît contradictoire. Le général déplore d'une part que ses ordres de mission soient confus et l'empêchent d'agir pour sauver des vies. L'ONU ne lui a fourni que 2500 hommes alors qu'il en demandait le double. Il a également ordre de ne pas utiliser ses armes sauf en cas de légitime défense, ce qui implique qu'il doit assister à des massacres en simple spectateur. Par contre, il croit à sa mission de faire respecter la paix. Il ajoute: « Sinon, nous serions rendus dans le *Peace enforcement*, l'imposition de la paix, ce qui nous obligerait à tirer sur des Rwandais, et je pense qu'ils n'ont pas besoin que des étrangers viennent les tuer, comme c'est le cas ailleurs en Afrique. Au contraire, ils ont besoin que nous les aidions à stabiliser leur situation politique et leur sécurité. C'est pour cela que nous voulons poursuivre avec acharnement la relance du processus de paix. »

Moins d'un mois plus tard, ce déchirement entre sa mission de paix et son incapacité à stopper les tueries aura raison du général Dallaire, qui demandera à être relevé de ses fonctions. Pendant des années, il restera hanté par ce sentiment d'impuissance.

Mais pour l'heure, il nous confie à son bras droit, le major Jean-Guy Plante, qui doit nous faciliter le travail. Ce dernier nous offre de rencontrer le nouveau héros de Kigali, Paul Kagame, qui vient de chasser les Hutus et de mettre fin au génocide avec ses 15 000 hommes du Front patriotique rwandais. C'est une entrevue exclusive. Kagame accepte de répondre aux questions de Raymond à bord de son 4 x 4 Mercedes vert flambant neuf. Sa voiture est précédée et suivie de six autres véhicules déglingués remplis de soldats constituant sa garde rapprochée. Pour bien filmer l'entrevue, je demande au militaire de s'asseoir à l'arrière avec le journaliste, afin de mieux contrôler mon image. L'idée ne lui plaît pas, car le siège arrière est destiné aux gens de rang inférieur. Il rechigne un peu, mais finit par accepter. Il raconte que le gouvernement rwandais a commandité le génocide pour camoufler son incompétence : tous ceux qui s'exprimaient contre les vicissitudes du régime, les Tutsis écartés du pouvoir, devaient être éliminés. Paul Kagame blâme aussi la stupidité des dirigeants de l'ONU qui, de New York, ont complètement sous-évalué la situation au Rwanda et empêché le général Dallaire de bien faire son travail. Enfin, il souhaite la réintégration des bons éléments hutus de l'armée rwandaise dans un esprit de réconciliation nationale.

Le très efficace major Plante propose ensuite de nous conduire en hélicoptère sur le site d'un des plus affreux massacres rwandais, le village de Ntarama, où 400 Tutsis ont été assassinés froidement. La route qui y mène a été complètement défoncée et, en l'absence de repères visuels, le pilote navigue pendant plus d'une heure au-dessus des champs et des forêts. Juste au moment où il songe à retourner à Kigali, son réservoir étant à moitié vide, le village en question apparaît. Nous atterrissons en plein champ. Nous n'avons ensuite que 10 minutes pour tourner notre reportage, car il faut revenir à la base avant le coucher du soleil. Raymond, le réalisateur et moi débarquons et courons vers ce qui reste du village. Le champ est jonché de guenilles aux couleurs vives. Je n'y prête aucune attention jusqu'à ce que je voie un crâne dépassant d'un chiffon. Ces bouts de tissu sont les dernières traces des vêtements des villageois abattus ici par les Hutus.

Il y en a partout, comme des fleurs semées au hasard et qui auraient poussé parmi des restes humains. Ma caméra tourne et je vois que le village n'est plus que ruines désertes.

Une église aux vitraux éclatés se dresse devant moi. J'y pénètre et l'odeur de mort me suffoque immédiatement. Dans le bourdonnement des mouches, je réalise que des centaines d'hommes, de femmes et d'enfants aux corps à moitié pourris reposent dans la nef. Ils sont couchés dans la position qu'ils occupaient quand ils ont été mitraillés : prostrés sur un banc, recroquevillés sur un prie-Dieu, étendus par terre, des mères tenant des bébés dans leurs bras. Je filme, je filme, je filme sans réfléchir. Il ne faut surtout pas que je réfléchisse si je veux garder le contrôle de ma caméra. Vaincu par la puanteur, je sors et me retrouve face à face avec Raymond, livide comme je le suis probablement. Nos 10 minutes sont écoulées, mais je veux que mon journaliste enregistre un premier témoignage. Il s'agenouille devant l'église et murmure un commentaire que mon microphone ne peut capter. Je lui dis de parler plus fort, mais il hausse à peine le ton, comme si l'horreur du lieu lui avait enlevé la voix. Raymond fait son intervention à genoux, comme pour rendre hommage à ces gens innocents, morts parce qu'ils n'étaient pas de la bonne ethnie. Je le relève et nous repartons sans dire un seul mot pendant toute la durée du vol.

Le lendemain, nouveau chapitre de l'horreur. Le major Plante nous accompagne en véhicule tout-terrain dans le quartier d'un Tutsi rescapé, monsieur François. L'histoire de ce survivant est à peine croyable. Monsieur François, un homme d'affaires, a eu cinq enfants avec son épouse, Tutsie également, mais sa famille a été massacrée. Dans sa banlieue de Kigali, Hutus et Tutsis cohabitaient pacifiquement depuis toujours. Monsieur François employait même deux jeunes Hutus qu'il appelait «*mes boys*». Un soir, un groupe armé de machettes et de gourdins fait irruption dans le quartier, taillant en pièces tous les Tutsis qu'ils rencontrent. Monsieur François a le temps de sauter dans un fossé assez dense, ce qui lui sauve la vie. Sa femme se réfugie chez une voisine hutue avec trois de ses enfants. Deux autres garçons trouvent refuge chez une deuxième voisine. L'amie hutue sort dans la cour pour essayer de calmer les émeutiers, rien n'y fait. Les tueurs décapitent madame François et ses fils, puis jettent les corps dans un camion. On ne saura jamais dans quelle fosse commune ils ont été ensevelis. Pendant deux jours, l'homme paniqué reste caché dans les buissons, sans boire ni manger. Puis il voit apparaître au bout de la rue un véhicule blindé de la MINUAR: c'est le major Plante qui cherche des survivants! Le temps de récupérer ses deux fils cachés, monsieur François saute dans le blindé, qui revient au camp de base en traversant lentement la foule hystérique. Les tueurs savent que les représentants de l'ONU ont l'ordre de ne pas intervenir tant qu'ils ne sont pas attaqués directement, alors ils laissent passer le véhicule, mais le major Plante a la peur de sa vie.

Monsieur François revient donc avec nous et le major Plante dans son quartier, sans savoir ce qu'il y découvrira. Là où était sa maison ne subsiste plus qu'un terrain vague. Tout a été rasé. Je le suis avec ma caméra, il marche lentement, creusant le sol avec son pied, à la recherche d'un souvenir quelconque. Soudain, il trouve un crâne enfoui dans la poussière: c'est celui d'un ses *boys* tués pour avoir fraternisé avec des Tutsis. Plus loin, il déterre un sac à main, celui de sa femme. Il le nettoie lentement, mais le sac est vide. Pas une photo, pas un objet, il ne reste rien d'elle. Je filme son regard, mais il reste sec, car monsieur François ne veut pas se donner en spectacle pour la télévision. Il marche comme un somnambule, pensif. Puis il nous raconte que des 150 membres de sa famille immédiate, 15 personnes seulement sont encore vivantes. Ensuite il se tait, contemplant le vide que sera désormais sa vie. Raymond et moi sommes très émus. Que dire à un homme qui a tout perdu?

•••

Nous aimerions bien rencontrer un ou des responsables de la tuerie collective, afin de mettre des visages sur les noms d'assassins qui circulent à Kigali. La plupart ont fui vers le Zaïre, où ils croupissent par milliers dans des camps de réfugiés de l'ONU et de grands organismes humanitaires. Roméo Dallaire est prêt à nous faciliter la tâche, mais les soldats de son groupe n'ont pas le mandat d'agir en dehors du Rwanda. Il nous prête tout de même un minibus, et un de ses officiers ghanéens, membre de la MINUAR, qui nous servira de chauffeur jusqu'au Zaïre. Nous roulons plus de deux heures sur des routes dévastées, direction Goma, dans ce pays dirigé par le dictateur Mobutu Sese Seko. Pendant tout le trajet, nous doublons des centaines de réfugiés en haillons qui espèrent rejoindre le Zaïre. Des cadavres jonchent la route, mais personne ne semble s'en préoccuper.

À Goma, nous logeons dans un hôtel décrépit sur la rive du magnifique lac Kivu. Le président Mobutu possède une résidence secondaire dans cette région dite «des Grands Lacs», un véritable paradis floral. Nous établissons des contacts avec l'ONG Care Canada qui nous loue une de ses voitures avec chauffeur pour 250 $ US par jour. Le système bancaire étant inopérant au Rwanda, Raymond et le réalisateur ont en poche 10 000 $ US pour régler nos dépenses. Une immense fortune dans cette région où les denrées de base sont cruellement absentes. Puisqu'il nous faut maintenant un interprète, notre réalisateur entre en contact avec un membre de la milice rwandaise Interahamwe réfugié à Goma. Les Interahamwe, dont le nom signifie littéralement « ceux qui combattent ensemble », sont le bras armé des Hutus : mercenaires analphabètes dans la vingtaine, drogués ou ivres la plupart du temps, armés de machettes, ils tuent n'importe qui pour une poignée de dollars. Très craints de la population, ils représentent la terreur sanguinaire la plus féroce. Celui que nous rencontrons à Goma a toutefois perdu de son arrogance. La main gauche presque entièrement sectionnée, il offre ses services de « facilitateur » auprès des réfugiés hutus, ses ex-employeurs, pour 200 $ par jour. Il s'appelle Tracien Hahozayezu et a échappé de justesse à la vengeance des Tutsis quand le pouvoir a changé de mains. Battu à son tour à coups de machette, il a été laissé pour mort en bordure d'une route et il s'est traîné au Zaïre je ne sais trop comment. Il ne m'est pas du tout sympathique.

Raymond lui explique que nous désirons rencontrer l'ex-préfet de Kigali, François Karera, décrit par l'ONU comme un des commanditaires du génocide. Karera se cache dans un camp avec des complices. Tracien, aussi menteur aujourd'hui qu'il était tueur le mois dernier, jure qu'il nous le trouvera facilement.

Le premier camp est une horreur visuelle et olfactive : des milliers de bâches bleues aux couleurs de l'ONU sont montées sur une mer de boue où pataugent hommes, femmes et enfants hutus. Il n'y a pas d'eau courante et les sanitaires ne sont qu'un vague concept. Dans la chaleur du jour, les odeurs pestilentielles se mélangent à celles des rations cuites sur des feux de charbon improvisés. Karera y restant introuvable, nous allons visiter le camp suivant, à 20 minutes de route. Une fois rendus, nous apprenons que l'ex-préfet a quitté les lieux et loge maintenant chez un roi local très heureux de lui offrir l'hospitalité. Ces roitelets sont très nombreux au Zaïre et nous trouvons le nôtre au village de Rutshuru, en compagnie de son nouvel ami Karera.

Ce dernier accepte volontiers de nous accorder une entrevue. Il ressemble à un intellectuel dans la cinquantaine, au port altier et aux mains soignées. Il nie toute participation aux massacres et accuse les Tutsis d'avoir commencé les tueries avec l'appui de la communauté internationale. Il affirme aussi que l'ONU et le général Dallaire mentent à son sujet. Nous saurons plus tard, par un avocat qui a enquêté sur Karera, que ce dernier a fait exécuter ses sales besognes par des Interahamwe. Il aurait notamment fait assassiner les Tutsis qui ont construit sa maison, au lieu de les payer, ainsi que ses voisins de la même ethnie. Un beau salaud aux bonnes manières !

À Goma, l'organisme Reporters sans frontières a installé une station de radio temporaire diffusant en kinyarwanda, la langue hutue, afin d'inciter les millions de réfugiés à retourner au Rwanda. Mais personne n'écoute ses conseils. Une jeune Française, Isabelle Darras, explique à Raymond que les Hutus ne retourneront pas à Kigali tant qu'un véritable cessez-le-feu ne sera pas signé. Les combats sont terminés, mais l'esprit de vengeance est encore bien présent : près de la route, nous voyons plusieurs corps de Hutus assassinés, les mains et les pieds liés.

Nous constatons l'importance de la radio dans ce coin du monde : cette station s'appelle Agatashia, un mot signifiant *l'hirondelle qui porte la bonne nouvelle.* Quelques mois auparavant, c'est par une autre station, Radio Mille Collines, à Kigali, que les génocidaires incitaient les Hutus à égorger les Tutsis ! Nous retrouvons l'un des animateurs de l'époque, Cantano Habimana, dans le deuxième camp de réfugiés au Zaïre, mais il nie ces allégations en bloc, jurant de son innocence. À l'entendre, il n'y a dans ce conflit que des innocents confondus par une justice aveugle...

Notre tournage est terminé et il est temps de revenir à Goma. Il se fait tard et la route est en mauvaise condition. Les gens de la MINUAR nous ont bien avertis de ne jamais circuler après le coucher du soleil. Nous pourrions passer la nuit dans une base de l'ONU située entre les deux camps de réfugiés, mais il nous faudrait alors coucher par terre. Comme nous sommes tous très fatigués et désireux d'aller dormir dans un lit confortable, nous décidons d'un commun accord de pousser vers Goma, quitte à y arriver de nuit. Erreur stupide !

Les camps sont derrière nous et nous roulons, nos deux phares transperçant la nuit. Soudain, des torches électriques nous éclairent : cinq types se tiennent au milieu de la route et nous font signe d'arrêter le véhicule. Ils sont tous armés de mitraillettes AK-47, portent des cagoules et des uniformes militaires. Ce sont des soldats de l'armée zaïroise, mal payés, qui se transforment en pirates la nuit. Le plus grand pointe son arme sur la tête du chauffeur et nous ordonne en français de sortir, les mains en l'air, sur le bord du fossé. Je suis persuadé qu'ils vont nous descendre et que ma vie va s'arrêter sur cette route de merde, en pleine noirceur. Je me trouve con d'avoir fait ce voyage. Con d'avoir pris cette route la nuit. Je me giflerais, mais je ne veux pas donner d'idées à ceux qui nous tiennent en joue.

Nos agresseurs nous laissent nos passeports et nos billets d'avion, mais prennent tout notre argent et nos montres. Ma caméra et mes cassettes de tournage, impossibles à revendre au marché noir, restent bien sagement sur le siège avant. Jean-Jacques, le réalisateur, a son magot dissimulé dans une ceinture sous ses vêtements, cachette dérisoire. Loin d'être dupe, un des bandits lui demande sa ceinture « secrète », Jean-Jacques refuse et reçoit un solide coup de crosse dans le ventre. Bye bye, les dollars ! Même Tracien le vaurien se fait délester de son salaire. Un autre soldat essaie d'arracher la radio de la voiture. Le chauffeur de Care, responsable du véhicule, tente de s'interposer, mais encaisse lui aussi un coup de crosse de mitraillette dans la poitrine. Le chef de la troupe s'énerve alors et tire une rafale de mitraillette en l'air en nous traitant d'imbéciles. Dans la nuit noire et silencieuse, son AK-47 résonne comme un coup de tonnerre assourdissant. L'effet est immédiat, je suis persuadé que je vais mourir dans quelques secondes. Debout à côté du fossé, j'ouvre la bouche pour dire au chauffeur de laisser partir la radio, mais je ne peux que bégayer des mots incohérents. Quand le chef du groupe pense avoir tout volé, il nous ordonne de déguerpir. J'attrape le chauffeur par le collet et le propulse dans la voiture par-dessus le siège ; l'adrénaline a quintuplé mes forces. Personne ne dit mot dans l'auto, sauf Raymond qui balbutie le mot « chèque » !

« Quoi, tu aurais voulu qu'on leur fasse un chèque ? »

« Non, pas un chèque, j'ai les *shakes* (la tremblote) ! »

Une heure et demie plus tard, nous arrivons à Goma où nous avions laissé notre téléphone satellite. Raymond appelle Montréal pour raconter notre mésaventure et son interlocuteur lui demande si nous avons tourné des images du cambriolage ! Puis le même type s'indigne que nous ayons perdu des milliers de dollars et demande pourquoi diable nous transportions une si grosse somme sur nous. Raymond lui explique que les banques du Rwanda servent actuellement d'entrepôts pour les sacs de grains de la Croix-Rouge et que, non, il n'y a pas de guichets automatiques dans une région d'Afrique en proie à la guerre civile. Exaspéré, il lance l'appareil dans un buisson en criant : « Maudit pousseux de crayon[4] ! »

Finalement, tout s'arrange : Care Canada nous avance de quoi terminer notre séjour et nous achevons la soirée autour de quelques bières bien fraîches. Un mois plus tard, une équipe de la télévision italienne sera braquée au même endroit que nous, dans des circonstances identiques. Ces journalistes et cameramen n'ont peut-être pas compris les ordres en français, peut-être ont-ils essayé de résister. On a retrouvé leurs corps mitraillés dans le fossé. Ils étaient sept.

C'est vrai que, comme d'autres, je fais mon travail dans des conditions parfois difficiles, et je vis dans l'illusion que rien de grave ne peut m'arriver. Mais je sais très bien qu'un jour je pourrais mettre le pied là où il ne fallait pas. Et le payer très cher. Comme un con !

---

4. Pousseux de crayon : québécisme, synonyme de rond-de-cuir, petit fonctionnaire zélé.

CITÉ SOLEIL... COUCHANT

HAÏTI

La *Perle des Antilles* est en ébullition en 1994, lorsque j'y arrive avec le journaliste Raymond Saint-Pierre et la réalisatrice Christine Gautrin pour le Service des affaires publiques de Radio-Canada. Jean-Bertrand Aristide est en exil aux États-Unis et Haïti est dirigé par la junte militaire du lieutenant général Raoul Cédras, son président fantoche Émile Jonassaint et le dirigeant du sinistre Front pour l'avancement et le progrès haïtien (FRAPH) Emmanuel Constant. Ces hommes sont les héritiers sanguinaires du régime Duvalier et responsables de l'assassinat de milliers d'Haïtiens progressistes. Nous sommes sur place pour témoigner de la violence de la situation.

Dès notre arrivée dans la capitale Port-au-Prince, nous rencontrons à ses bureaux Diane Petit, avocate montréalaise de la Commission interaméricaine des droits de l'homme (CIDH). Celle-ci nous invite à la suivre dans sa tournée du bidonville de Cité Soleil, là où vivent les plus pauvres citoyens de la ville. Ces derniers appuient en majorité un éventuel retour du président Aristide et tentent de se regrouper en différents organismes d'entraide. C'est donc à Cité Soleil que les néomacoutes de Cédras et Constant font le plus de victimes parmi ceux qui osent protester contre leur régime.

L'horreur nous saute vite au visage, des images qui me hantent encore aujourd'hui. Maître Petit a appris qu'un meurtre a été commis la nuit dernière en plein cœur du bidonville. Nous nous dirigeons vers l'adresse indiquée par son informateur. Il n'y a pas d'arbres à Cité Soleil, la chaleur est suffocante, comme l'odeur, et, dans la saleté omniprésente, de beaux enfants jouent et nous sourient. Nos deux véhicules arrivent dans une petite rue où un cadavre gît sous un drap blanc. Pour bien marquer les esprits et décourager toute contestation, les tueurs au pouvoir laissent pourrir les morts sur place, dans le but de leur enlever toute dignité. Quelqu'un a toutefois eu la décence de recouvrir le corps étendu devant nous. Les gens du quartier ne sont pas avares d'informations : la victime s'appelle Emmanuel Joseph et avait 38 ans. Des hommes en uniforme l'ont traîné hors de sa maison à quatre heures du matin, forcé à se coucher par terre, puis abattu d'une rafale d'arme automatique. Monsieur Joseph était membre d'une association de quartier hostile au régime Cédras. Ses voisins sont persuadés qu'il a été tué à cause de ses idées politiques. Tout à coup, l'un d'entre eux indique à l'avocate de la CIDH que des informateurs du gouvernement viennent de se mêler à la foule, qui devient soudainement silencieuse. Nous apprendrons tout de même qu'il y a un autre cadavre un peu plus loin.

À quelques rues de distance, nous découvrons en effet un deuxième corps gisant sur le trottoir. Il s'agit de Serge Joseph, 19 ans, mais nous ignorons s'il était parent avec

Emmanuel. Ce jeune professeur était membre de l'Alliance de la démocratie révolutionnaire haïtienne, donc un ennemi du régime. Un voisin nous confirme qu'il avait reçu trois jours auparavant des menaces de mort d'un membre du FRAPH. Les tortionnaires ne se sont pas contentés de tuer le jeune Joseph. Toutes les personnes qui habitaient sous son toit ont été battues, hommes, femmes et enfants, mais ont pu s'échapper. Maître Petit explique en entrevue que ces gens n'ont pas été victimes de vol, puisqu'ils ne possèdent rien. J'ai à peine posé ma caméra qu'un citoyen nous informe qu'un autre cadavre a été découvert non loin de là. Je n'ai pas le temps de m'émouvoir. Les événements se bousculent, alors je vérifie l'état de mes piles, j'insère une nouvelle cassette dans la caméra et me voilà en route. Ma chemise est trempée de sueur, mais qu'importe. Il me faut accumuler le plus d'images possible, au cas où les autorités viendraient interrompre le tournage.

Nous marchons à peine cinq minutes et découvrons cette autre victime, un jeune homme de 19 ans tué d'une balle à la tête. Ce garçon était membre de l'Association des jeunes de Cité Soleil, comme nous le confirme son frère aîné, Mercidieu Bontemps, 43 ans : « C'est moi qu'ils cherchaient, explique-t-il, mais j'ai eu le temps de fuir la maison et de me cacher dans le ruisseau à ordures. Ils sont arrivés à deux heures du matin, ont attrapé mon frère, l'ont ligoté puis abattu de sang-froid. Ma femme et mes trois enfants ont disparu, je ne sais pas s'ils sont encore vivants. Je suis un homme fini, ils vont revenir c'est certain, car ils ont aussi tué mon cousin ; vous pouvez aller filmer son cadavre... »

Une quatrième victime ! Nous sommes toujours dans le même quartier. Il s'agit de Delisle Saint-Louis, 26 ans. Nous trouvons son corps baignant dans son sang, étendu dans sa demeure. Les gens crient, pleurent et prient sur un ton hystérique. Des douilles de balles de mitraillettes, du même type que celles de l'armée, jonchent le plancher de l'unique pièce. Un voisin explique que les militaires l'ont également battu avec des bâtons, lui et sa fille, et ont volé les quelques gourdes, la monnaie locale, qu'ils possédaient.

C'en est trop pour Diane Petit, qui fond en larmes. Tant de morts, de gens roués de coups, de femmes et d'enfants disparus ! Je filme sa réaction sans broncher car, comme d'habitude, le viseur de ma caméra fait office d'écran entre moi et mon sujet. Toujours sous le choc, l'avocate raconte à Raymond Saint-Pierre que ces meurtres et ces mesures d'intimidation sont devenus le lot quotidien des habitants de Cité Soleil. Elle ajoute que chaque famille haïtienne compte au moins une victime de la répression.

J'ai l'impression d'être un figurant dans un film de gangsters. Il y a du sang partout et l'odeur de la mort s'ajoute à la puanteur de la rue. Je filme l'extérieur du taudis de la victime : un petit ruisseau serpente entre les baraques de fortune, un égout à ciel ouvert, charriant des détritus et des bouteilles de plastique. Au milieu des ordures, le corps d'un bébé d'à peine deux mois, bleu et gonflé, roule dans l'eau. Personne ne s'en soucie. Je me concentre sur ma mise au point et filme la petite chose qui disparaît au coin de la rue…

Cette nuit-là, dans ma chambre du chic Hôtel Mentana, j'enfile les verres de scotch afin de refouler ma nausée. Je m'engourdis à l'alcool pour être bien sûr de tomber dans un sommeil sans rêves. Plusieurs cameramen finissent par devenir alcooliques au fil des ans. Ce n'est pas encore mon cas, même si j'adore le vin et ses effets euphorisants.

Le lendemain, le dirigeant du FRAPH, Emmanuel Constant, nous reçoit en entrevue dans son vaste bureau. L'homme est élégant et il zézaye un peu. Il me donne l'impression d'être un nazi d'opérette, mais, bien sûr, je ne laisse rien paraître du dégoût que ce tortionnaire m'inspire. Dans un coin, une caméra de son service de propagande me filme pendant que je travaille, probablement pour nous intimider.

Raymond demande à Constant pourquoi les militants des droits de la personne sont assassinés à Haïti. Le type répond que c'est de la fabulation. Selon lui, ces morts sont des victimes de règlements de comptes entre gangs mafieux : les pauvres, c'est connu, ont tendance à s'entre-tuer. En fait, il explique que la situation a commencé à dégénérer quand la Commission des droits humains est arrivée à Port-au-Prince. Il n'y avait jamais eu de violence dans son pays avant que l'ONU n'y envoie des observateurs ! Il nous dit cela sans sourciller, même si l'ONU a publié des preuves accablantes contre ces tueurs. Pour nous donner la preuve que son régime est apprécié de la population, il nous invite à le suivre à Cité Soleil en compagnie de son assistant Frank Pierre, un autre tortionnaire notoire. Nous partons donc à sa suite !

Un spectacle réglé dans ses moindres détails nous attend au coin d'une rue : une vingtaine de « fervents fidèles » accueillent Constant avec des bravos et des hourras. De toute évidence, ce public a été payé pour donner un bon *show*. Le néomacoute les salue, sourit de toutes ses belles dents, et pose fièrement devant « son » peuple admiratif. Après quelques minutes de cette comédie, il s'éclipse en vitesse, entouré de sa cour, nous abandonnant sur place avec notre équipement !

Vient ensuite le moment de rencontrer le président fantoche, un vieillard un peu sénile nommé Émile Jonassaint. Octogénaire, ce polichinelle a été nommé à la tête du pays par Cédras. Il affirme que les morts dont parle Raymond sont les conséquences d'accidents de la route, tout simplement, et non le fruit de persécutions. Si on veut voir de la répression, dit-il, il faut aller au Rwanda, en Bosnie, ou même en France, où les policiers torturent les civils ! S'il a déclaré l'état d'urgence, c'est parce que le monde entier a déclaré la guerre « à cette pauvre Haïti qui n'a jamais fait de mal à personne »… Devant tant d'imbécilité, nous n'insistons pas et nous remballons notre matériel. Je me dis que les téléspectateurs sauront faire la part des choses.

• • •

Un an plus tard, les Américains, dont la CIA a soutenu jusque-là les néomacoutes, décident de remettre Aristide en poste à Haïti. Bill Clinton est président et les politiques du Parti républicain ne s'appliquent plus. Je vais à Washington filmer le départ du président haïtien, mais on m'informe que ce dernier, méfiant envers les Américains qui l'ont déjà trahi, insiste pour que la caméra de Radio-Canada soit à bord de l'avion qui le ramène à Port-au-Prince. C'est ainsi que je me retrouve dans l'appareil en compagnie d'une équipe de CNN et du secrétaire d'État Christopher Warren. Le reste de l'équipe suit dans un deuxième avion. La diaspora haïtienne est très importante à Montréal, et nos bulletins d'information en français sont diffusés chaque jour à Haïti. De toute évidence, Aristide désire que ses propos soient rapportés sans le filtre journalistique étatsunien.

Le président est accueilli par son peuple dans une joie délirante. L'armée américaine nous transporte en hélicoptère de l'aéroport jusqu'au palais présidentiel, littéralement encerclé par la foule en liesse. J'ai l'impression que tous les habitants de l'île sont massés aux grilles. Dès qu'Aristide descend de l'appareil, la foule hurle «Titid, Titid!» comme s'il était le Messie revenu sur terre. Je filme cette exubérance, des images de délire collectif et joyeux! Devant un tel enthousiasme, Aristide décide de franchir la grille en Jeep pour aller saluer ses admirateurs, mais la joie se transforme en hystérie collective. Le véhicule n'ira pas plus loin que trois mètres avant de rebrousser chemin. Peu de temps après, Raoul Cédras se réfugiera en Amérique du Sud avec des valises remplies de dollars, et Emmanuel Constant partira pour les États-Unis, où il sera emprisonné pour fraude et corruption. À ma connaissance, personne n'a été arrêté pour les meurtres que j'ai filmés à Cité Soleil.

Chaque fois que je rentre chez moi après avoir filmé des horreurs comme ces cadavres dans la rue ou ce bébé mort dans les égouts, je me demande pourquoi j'ai accepté ce travail. Chaque fois, je me demande si cela en valait la peine, si mon boulot a eu une certaine utilité. Puis, je me dis que peut-être, oui, mes images auront fait évoluer une situation désespérante. Et je suis fier de l'avoir fait, fier que mes reportages voyagent à travers le monde pour allumer une petite flamme dans le cœur des gens. À force de me le répéter, je vais probablement finir par y croire.

CITÉ SOLEIL... COUCHANT

(SUITE)

Une des causes principales de la misère du peuple haïtien est le trafic de drogue. Les narcotrafiquants ont réussi à corrompre de nombreux dirigeants, rendant impossible une juste répartition des richesses du pays. Je retourne en 2006 à Port-au-Prince avec le journaliste Michel Senécal pour montrer comment Haïti est devenue la plaque tournante de ce trafic en Amérique du Nord. Notre point de départ est la triste histoire de Barbara E., une danseuse « érotique » de Montréal dans la vingtaine, arrêtée à Haïti alors qu'elle s'apprêtait à revenir au Québec avec un kilo de cocaïne dissimulé entre ses cuisses.

En compagnie du chef de l'escouade antidrogue d'Haïti, Patrice Israël, nous visitons la danseuse dans sa prison surpeuplée de Port-au-Prince, un rare privilège, car les prisons pour femmes sont généralement interdites aux journalistes. Je travaille avec une petite caméra Sony, beaucoup moins imposante que ma Betacam habituelle. Les prisonnières nous accueillent avec hostilité, pensant que nous allons diffuser leur visage, et hurlent des injures en créole. Je ne parle pas cette langue, mais je comprends le message! Elles finissent par se calmer quand nous leur expliquons que seule Barbara, une Québécoise d'origine haïtienne née à Montréal, sera vue à l'écran.

Barbara nous montre sa pauvre cellule, qu'elle partage avec quatre détenues et où règne une chaleur insupportable. La jeune femme couche par terre, sur un petit matelas de plastique. Elle nous explique qu'un membre d'un gang de rues de Montréal lui a offert 3000 $, en plus de son billet d'avion, pour transporter la drogue. Concentrés à Montréal-Nord, ces gangs extrêmement violents contrôlent également une partie de la prostitution et des danses «érotiques» de la métropole québécoise. Pour sa peine, Barbara a écopé de 12 ans de prison et de 30 000 $ d'amende. De quoi faire réfléchir les éventuels passeurs de drogue…

De retour à son bureau, situé dans un édifice anonyme de la capitale, Patrice Israël nous explique que la cocaïne et l'héroïne proviennent surtout de la Colombie et de pays avoisinants. La mafia haïtienne se charge de transporter les paquets à Montréal. Derrière lui, une porte de fer sécurisée par une vingtaine de cadenas abrite les drogues saisies au cours des dernières semaines. Je demande à filmer la marchandise. Le policier, nerveux, commence à ouvrir les cadenas avec son gros porte-clés. Il est le seul à avoir accès à la caverne d'Ali Baba. Pas de chance, il lui manque une clé! Qu'à cela ne tienne, nous irons chez lui la chercher, ce qui donne lieu à une expédition digne d'un film à suspense. Il faut savoir que les trafiquants ont mis sa tête à prix. Je monte avec le policier dans son 4 x 4. Un garde du corps armé d'un fusil de chasse nous accompagne. Le chef de l'escouade antidrogue est lui-même équipé d'un gros pistolet, qu'il glisse sous sa cuisse. Sa maison est entourée d'une haute muraille de pierre trouée d'une seule porte en fer. Avec précaution, le policier descend, l'arme au poing, pendant que son collègue tient bien son fusil. Cinq minutes plus tard, Israël revient avec la clé, jetant des regards inquiets vers la rue. Nous retournons à son bureau, où il reprend l'ouverture de ses cadenas. Je finirai par filmer des kilos de drogue en tout genre : cocaïne, héroïne, haschich, marijuana, il y en a pour des centaines de milliers de dollars ! Pendant que je travaille, l'officier regarde autour de lui nerveusement, comme s'il s'attendait à être attaqué à tout moment. Par la fenêtre, on peut voir des policiers cagoulés qui s'entraînent. Ils ne montrent jamais leur visage par peur de représailles. Mise en scène pour la caméra ? Réel danger ? Je me pose encore la question.

Nous rencontrons aussi Mario Andresol, le commandant de la police, qui nous reçoit chez lui. Sa demeure ne peut vraiment pas passer inaperçue dans le quartier, puisqu'elle est protégée par un blindé et une demi-douzaine de Casques bleus des Nations Unies. L'uniforme du commandant Andresol attire mon regard : c'est celui de la Gendarmerie royale du Canada ! En effet, les forces haïtiennes ont suivi un entraînement spécial à Regina, au Canada, et tous sont revenus avec des uniformes de notre « police montée ». Ces « super » policiers ont déjà arrêté une soixantaine de leurs collègues corrompus par les trafiquants, et la purge se poursuit. Monsieur Andresol nous cite un rapport de la GRC selon lequel, au cours d'une seule année, 38 kilos de drogue ont été saisis à Montréal en provenance de la Colombie, 188 kilos venaient du Mexique et 774 kilos arrivaient d'Haïti ! Heureusement, explique-t-il, de nouvelles lois nord-américaines permettent de saisir les biens des trafiquants arrêtés. Il nous entraîne dans un quartier chic de la ville, où un vaste domaine inhabité attend la libération de son propriétaire, un bandit notoire. Je constate que les policiers hésitent avant d'avancer sur le terrain, comme si le caïd allait surgir des buissons pour les canarder...

Ce reportage a fait grand bruit au Québec, mais la situation des gangs de rue n'a pas beaucoup évolué. Ces clubs attirent toujours de jeunes désœuvrés issus de l'immigration en quête de reconnaissance. La société ne sait pas comment les intégrer ni les sortir des pièges du chômage. Les trafics en tous genres se multiplient, car l'argent facile est un leurre puissant. Il y a donc encore beaucoup de Barbara qui rêvent de luxe.

SUZANNE, OHHHH SUZANNE...

QUÉBEC

Les histoires de prison se suivent mais ne se ressemblent pas. En 1999, j'accompagne le journaliste Jean-François Lépine pour une semaine de tournage au pénitencier à sécurité maximale de Donnacona, situé à 45 kilomètres à l'ouest de la ville de Québec. Le reportage, qui s'intitule *Qui mène en prison?*, est diffusé dans le cadre de l'émission *Une heure sur terre*.

Donnacona est la prison la plus moderne au Canada. Environ 350 gardiens y surveillent de très près 278 criminels parmi les plus dangereux du pays. Les autorités ont accordé à notre équipe la permission de tourner tout ce que nous désirons, à condition que les détenus soient d'accord. C'est une occasion unique! Le directeur du pénitencier nous offre même de coucher sur place, dans des cellules, pendant toute la semaine, mais Jean-François, je le remercie encore, décline poliment.

Trois types de criminels sont incarcérés à Donnacona au moment de notre visite: les bagnards de droit commun, les

Hells Angels et les Rock Machine, deux clubs de motards criminalisés. Ces deux organisations, qui se disputent les principaux trafics illégaux au Québec, se livrent une guerre sans merci, y compris derrière les barreaux. C'est pourquoi le pénitencier est divisé en deux : chaque club est séparé de l'autre par un mur infranchissable et jouit de ses propres installations, gymnase et cafétéria inclus. Les détenus « ordinaires » vivent du côté des Hells et sont représentés par Yves « Colosse » Plamondon, un vieil habitué des lieux. C'est justement « Colosse » qui nous sert d'intermédiaire avec les prisonniers. Son autorité n'est contestée par personne, pas même par les geôliers. Nous sommes vite informés que les Hells ne veulent pas qu'on les montre, même de loin. Nous ne filmerons donc que la cellule d'isolement dans leur partie de la prison, communément appelée « le trou », ainsi que des entrevues avec les gardiens.

Pendant plusieurs jours, le tournage se déroule rondement avec la bénédiction de « Colosse ». Nous circulons dans la prison, toujours accompagnés d'un gardien-chaperon. À chaque porte, et il y en a beaucoup, il nous faut montrer patte blanche : permis de circuler, pièces d'identité, photographies, etc. Cela devient un peu fastidieux, mais nous nous plions à la discipline de l'établissement. Après quelques jours, les gardiens nous connaissent bien et nous saluent chaque fois que nous traversons une zone de détention. Plusieurs bagnards et motards des Rock Machine acceptent de témoigner à la caméra, car Jean-François a cette capacité de mettre les gens très à l'aise, et les détenus oublient vite mon appareil.

L'un de ces interviewés est un jeune homme qui va bientôt se marier en prison. C'est un Rock Machine désireux de témoigner de son amour pour sa belle. Nous lui donnons rendez-vous dans sa moitié de prison, mais il nous faut auparavant terminer nos images de la cafétéria, vide, des Hells. Comme je suis méticuleux, cela prend du temps. C'est alors que notre gardien-chaperon doit s'absenter quelques minutes. Il retourne à son bureau pendant que je filme les impressionnants couteaux alignés sous clé dans la cuisine. Mon travail terminé, le gardien n'étant pas revenu, nous décidons de traverser chez les Rock pour filmer notre tourtereau. Routine des grilles, laissez-passer, pièces d'identité avec photo et saluts aux gardiens qui ne s'étonnent pas de nous voir circuler seuls, et nous voilà dans le gymnase des motards. Le fiancé nous y attend. J'installe ma caméra dans un petit bureau surplombant la salle d'exercice, avec les détenus qui jouent au ballon en arrière-plan.

L'entrevue se déroule très bien quand, soudain, j'aperçois dans le coin de mon viseur le directeur des communications de la prison, effaré, qui court dans tous les sens. Le cher homme nous cherche depuis une heure en s'imaginant les pires scénarios : sommes-nous pris en otage, violés par des matamores, démembrés dans un coin sombre ? Pendant plus de 60 minutes, la direction a été incapable de nous localiser dans la prison la plus répressive du Canada avec ses centaines de caméras de surveillance ! Reprenant ses esprits, il monte dans notre petit bureau, le visage rouge vif et la cravate légèrement de travers, puis demande sur un ton badin si tout va bien. Tout va bien… Le directeur nous rappelle gentiment qu'il ne faut JAMAIS se promener sans gardien-chaperon.

Le lendemain, nous tournons une entrevue avec le doyen des prisonniers, Robert Péruta, dit «le Caméléon», un grand admirateur de «Colosse», au point d'avoir l'image de Plamondon tatoué sur sa jambe. Monsieur Péruta est un homme tellement gentil qu'il désire tout nous montrer. Il me dit d'approcher avec la caméra, baisse son pantalon et me montre son pénis sur lequel se trouve un autre tatouage. Il étire son membre et je peux lire le mot SUZANNE.

La chanceuse !

Cette séquence, toujours inédite, dort encore dans les archives de Radio-Canada... Notre reportage pour les affaires publiques de Radio-Canada remporte un vif succès auprès de l'auditoire : 1 200 000 personnes le regardent, un record battu seulement par une émission spéciale sur Céline Dion ! Le public a été fasciné par ces images de brutes vivant dans un monde clos et qui restent, malgré tout, des hommes à part entière. Notre équipe gagne avec *Qui mène en prison ?* le prix Judith-Jasmin 2000 remis par la Fédération professionnelle des journalistes du Québec, dans la catégorie *Presse électronique, reportage long.*

JEUX DE GUERRE

ISRAËL-PALESTINE

Ce voyage en Israël et en Palestine a lieu en décembre 2000. Des accords de paix ont été signés quelques années auparavant entre Juifs et Palestiniens, mais cette paix semble une fois de plus menacée. J'arrive à l'aéroport de Jérusalem en compagnie du journaliste Jean-François Lépine et du réalisateur Georges Amar. À l'époque, la plupart des journalistes voyagent avec deux passeports, surtout s'ils visitent Israël avant de se rendre dans un pays arabe. L'État israélien est maniaque de la sécurité, je m'en rends compte dès mon arrivée. J'étais allé au Yémen quelques mois auparavant pour tourner un reportage sur le trafic du qat, la drogue stimulante. Aujourd'hui, grosses discussions avec les douaniers qui me posent plein de questions sur mes liens avec l'État yéménite. Il n'y en a aucun, je suis ici pour faire un reportage sans plus, mais mon cas semble poser problème. Finalement, Jean-François s'en mêle et, puisque nous sommes de la télévision canadienne, on me laisse entrer en Israël avec tout mon équipement. Que de chichis !

C'est à Beithjallah, en banlieue de Bethléem, que je découvre une facette du jeu de guerre auquel se livrent chaque jour Palestiniens et Israéliens. La bataille est réglée comme du papier à musique et aussi inutile que meurtrière. En face de Beihjallah, de l'autre côté de la vallée, à cinq minutes à vol d'oiseau, se trouve Gilo, une colonie juive installée en territoire palestinien depuis la guerre de 1967. Les Palestiniens se battent pour ravoir leur terre, que les Israéliens veulent garder, ces derniers disant manquer d'espace pour installer les nombreux colons juifs arrivant chaque année du monde entier.

Au bord de la vallée se trouvent des maisons palestiniennes, je dirais plutôt des ruines de maisons, car c'est ici le champ de bataille perpétuel entre les deux camps. Parmi ces maisons, un immeuble de plusieurs étages est devenu le symbole de la rébellion : tous les jours, des Palestiniens tirent du toit de cet édifice en direction de Gilo avec leurs armes automatiques légères, ce qui entraîne quelques minutes plus tard la riposte israélienne à coups d'obus, de roquettes et de missiles lancés par des hélicoptères. Comme les Juifs contrôlent une colline surplombant la vallée, ils ont une vue parfaite de leurs cibles. Chaque soir, à la brunante, les habitants de Beithjallah quittent leurs maisons pour aller coucher chez des proches à l'intérieur de la ville ; chaque matin, ils retournent dans leurs demeures bombardées pour reprendre un semblant d'existence. C'est une guerre absurde, un combat entre la bande de Robin des Bois et l'armée la mieux outillée du monde. Il y a des morts et des blessés du côté des Palestiniens, mais très rarement du côté juif, car un mur de protection isole Gilo, sans compter que les armes palestiniennes ne sont pas assez puissantes pour faire de sérieux ravages chez l'ennemi.

Alors, pourquoi ces combats ? Nous rencontrons Lillia Musla, une Tchétchène qui a épousé un anthropologue palestinien. Elle nous décrit le ballet des horreurs quotidiennes de Beithjallah. Nous faisons aussi la connaissance d'un citoyen canadien qui a acheté une maison près de la vallée, pour se rendre compte qu'elle est inhabitable ; la chambre que devait occuper son fils a été traversée par un obus israélien. Heureusement, sa famille n'y avait pas encore emménagé !

Nous voulons rencontrer des jeunes Palestiniens, ceux qui tirent chaque soir en direction de Gilo. Un contact de Jean-François les convainc de témoigner pour la télévision canadienne. Afin d'aller au rendez-vous, nous devons utiliser un taxi palestinien accrédité par leur organisation. Coincés dans cette petite voiture, nous zigzaguons longtemps dans des ruelles obscures, histoire de semer d'éventuels poursuivants. Nous arrivons en face d'une maison que rien ne distingue des autres. Le chauffeur tape un code sur la porte et nous entrons. Au sous-sol sans fenêtre, nous découvrons une quinzaine de jeunes adultes portant une cagoule, armés de mitraillettes AK-47. Ma caméra à l'épaule, j'avance derrière Jean-François, qui les interroge en anglais. Il leur demande s'ils ne jouent pas le jeu des Israéliens en leur fournissant un prétexte pour attaquer le territoire palestinien. Réponse : « Nous savons que nous ne gagnerons jamais, mais ces combats quotidiens montrent à la presse et au monde entier que nous ne renoncerons pas à récupérer notre territoire. » Ne pas être oubliés : voilà ce qui motive ces jeunes à risquer leur vie !

Israël accuse les pays arabes, dont l'Iran, d'armer les Palestiniens. En fait, la plupart des armes de la rébellion proviennent... de la mafia juive ! Ce sont des policiers de

Jérusalem qui nous le confirment. La mafia israélienne n'a aucun scrupule : un profit est un profit. Ces marchands d'armes achètent leurs produits des pays fournisseurs comme les États-Unis, la Grande-Bretagne, la France et... Israël, qui vend aussi des armes aux pays arabes. Ici, l'absurde est payant, même si l'argent pue la mort.

Nous voulons filmer les combats d'un autre angle, celui des Israéliens. Ceux-ci nous accueillent en amis à Gilo et nous montrent fièrement leur arsenal : canons, mitrailleuses, hélicoptères... Dès que les Palestiniens de Beithjallah commencent à tirer, l'armée juive riposte avec fureur : obus, roquettes, missiles, le bruit est assourdissant. Je ne me sens pas en danger, mais je tressaute chaque fois qu'un obus est lancé. Je n'aime pas ce film, cependant les effets spéciaux sont réussis !

Deux jours plus tard, je tourne une autre dimension de cette guerre sans fin. À Ramallah, en territoire palestinien, des jeunes lancent des pierres aux soldats israéliens, qui leur tirent dessus avec des balles en caoutchouc. C'est un jeu souvent mortel auquel se livre la jeune génération de Palestiniens. Ils appellent cela l'intifada. Vers neuf heures, ceux-ci arrivent en bandes, armés de pierres et le visage couvert d'un foulard. À la même heure, l'armée d'en face prend position et le jeu commence. Les jeunes, dont des enfants âgés d'à peine cinq ans, lancent leurs pierres et vont se cacher derrière tout ce qui peut leur servir d'abri. Les soldats les visent avec des balles qui ne sont pas censées, en théorie, tuer leurs victimes. Je me promène la caméra à l'épaule, filmant les jeunes de très près, puis je tourne des images de la riposte, sans réaliser une seconde que je cours dans la ligne de tir. Un soldat israélien me fait signe de le rejoindre pour me mettre à l'abri. Je filme alors le combat de son point de vue, sans recevoir une pierre. Plan, contre-plan, action, réaction, je tourne toutes les images qu'il faut; le monteur de ce reportage va beaucoup m'aimer.

J'ai conscience d'avoir enregistré plusieurs *images Tintin*. Depuis mon enfance, j'ai toujours admiré la perfection graphique des albums de Tintin, le reporter créé par Hergé. Chaque fois que je tourne une image parfaite, au cadrage idéal, avec la bonne profondeur de champ, je l'appelle mon *image Tintin*. C'est un code personnel que je me suis créé au fil de ma carrière, et qui me permet d'oublier le contexte violent dans lequel je travaille souvent. Mais ici la réalité me rattrape d'un coup et je perçois une vive commotion sur le terrain de bataille…

Un garçon de 14 ans vient de recevoir une balle de caoutchouc à la tête. J'accompagne l'ambulance qui le conduit à l'hôpital, où un médecin constate son décès. Le docteur reconnaît l'adolescent: il y a quelques semaines, le petit a reçu une balle semblable dans le bras. Cette fois, il a eu moins de chance. Le soignant nous confirme que plusieurs enfants meurent à cause de ces projectiles de dix centimètres sur quatre, dont le caoutchouc enrobe une armature de métal. Jean-François Lépine, qui en a déjà reçu une à la jambe lors d'un précédent reportage, peut témoigner de l'extrême douleur que cet engin peut causer. Des enfants meurent aussi asphyxiés par les gaz lacrymogènes lancés sur eux. Je prends le temps de m'asseoir quelques minutes. Je pense à mon fils qui aimait jouer à la guerre avec ses amis de Montréal: *Pow pow, t'es mort!* Dire que Félix aurait pu naître en Palestine…

C'est l'heure du lunch, les deux parties font relâche pendant 60 minutes, puis les combats reprennent jusqu'à 17 heures. À ce moment, tout le monde rentre chez soi, les Palestiniens ramassent leurs blessés et les Israéliens retournent à la caserne. C'est comme ça tous les jours de la semaine.

Le lendemain, les funérailles publiques du jeune Palestinien sont récupérées pour la cause : des pancartes géantes avec sa photo le décrivent comme un martyr, des femmes voilées pleurent et des hommes crient vengeance. Des images que l'on voit depuis des années au journal télévisé. De mon côté, je me demande à quoi aura vraiment servi l'assassinat de cet enfant...

Puisque le reportage abordera la question sensible de la colonisation juive en territoire palestinien, nous allons rencontrer des colons installés dans un kibboutz créé sur des terres non concédées. Pour s'y rendre, notre véhicule emprunte une route toute neuve construite pour l'usage exclusif des Juifs. Aucun Palestinien n'a le droit de l'utiliser. Fait cocasse, un jeune kibboutznik fait de l'autostop pour se rendre chez lui, une mitraillette M-16 en bandoulière. Nous le faisons monter, comme si c'était tout à fait normal d'accueillir un passager armé. Le garçon se montre extrêmement gentil. Au village communautaire, les colons nous diront qu'Israël appartient aux Juifs depuis l'époque de Moïse et qu'ils sont prêts à mourir pour défendre leurs installations. Le chef du camp nous montre une vitre brisée, preuve, selon lui, que les Palestiniens les ont pris comme cibles. Ce n'est pas d'ici que viendront les concessions menant à un accord de paix.

Pour terminer notre séjour, Jean-François veut illustrer la difficulté, pour un Palestinien, de visiter un membre de sa famille en Israël. Nous suivons donc la camionnette Volkswagen de monsieur Ramzi Sansour, un habitant de Ramallah dont la mère habite 20 kilomètres plus loin, près de Bethléem. Ce monsieur enseigne dans une université accréditée par les Nations Unies, et ses papiers lui permettent de circuler un peu. Pour arriver chez sa mère, il faut traverser tout Jérusalem, ce qui n'est pas une mince affaire. Avec son épouse et ses quatre enfants à bord, monsieur Sansour, équipé d'un microphone sans fil, se met en route. Nous le suivons dans une deuxième voiture et je filme sans m'arrêter, tout en enregistrant ce qui se passe dans son véhicule. Les enfants ne disent pas un mot du voyage, conscients du danger de se promener en Israël quand on n'est pas juif. La voiture que nous suivons est immatriculée à Jérusalem, comme la nôtre, ce qui facilite les contrôles aux différents *checkpoints* israéliens qu'il faut traverser. Par contre, nous devons aussi nous frayer un chemin parmi quelques camps de réfugiés, où la situation peut devenir explosive à tout moment à cause de nos plaques. La rancœur est vive dans la population palestinienne à l'endroit des Juifs. Sur la route, nous croisons l'épave d'un camion blindé complètement calciné. L'attentat s'est produit ce matin, signe que les Palestiniens sont aussi équipés d'armes lourdes. Puis ce sont les quartiers de la Ville sainte, où la sécurité est omniprésente. Juste avant d'arriver à Bethléem, la route est coupée : interdiction de continuer ! Un convoi de pèlerins juifs est en route vers le Tombeau de Rachel, haut lieu de la religion juive, situé en territoire palestinien. Tant que les pèlerins n'auront pas terminé leurs prières, aucun Palestinien n'a le droit de circuler dans la région ! Et, à mon grand dam, aucun non-Juif n'a le droit d'y tourner des images. Je commence un peu à comprendre la frustration des Palestiniens traités comme des parias dans leur propre pays.

Nous finissons tout de même par arriver chez grand-maman Sansour, âgée de 75 ans, qui habite une maison de six étages avec vue éloignée sur le Tombeau de Rachel, une malédiction puisqu'elle est située en pleine zone de guérilla. Les enfants font la fête, mais après une heure de réjouissances, il faut déjà songer à faire le chemin inverse, la nuit étant meurtrière dans ce quartier. Nous retournons voir la vieille dame le lendemain pour faire des entrevues avec ses voisins et la découvrons prostrée et tremblante, muette de frayeur. Dans la nuit, les Israéliens ont bombardé le quartier, de sorte que la pauvre dame a dû passer une nuit de terreur dans son sous-sol. Elle insiste pour rester chez elle, car elle croit que les Juifs n'attendent que son départ pour occuper son terrain. Plusieurs de ses voisins ont accepté de vendre leurs maisons, mais elle résiste car, dit-elle : « Je suis ici chez moi ! »

Cela se passait en l'an 2000. Je regarde les infos chaque jour et je n'entrevois aucune fin à ce conflit sanglant. Le gouvernement israélien a décrété à l'été 2018 qu'Israël est l'État-nation du peuple juif. Et tant pis pour les Palestiniens ! De son côté, le Hamas, la branche armée islamiste palestinienne, persiste à faire pleuvoir ses roquettes sur Israël, qui répond par de puissants missiles. Un jeu mortel.

LA MENACE INVISIBLE

J'ai exercé mon métier dans de nombreux pays en guerre et j'en ai souvent rapporté des images horribles. Pour un cameraman, il est courant d'illustrer les actes de violence, même à la limite du supportable, comme je l'ai fait à Haïti et au Rwanda. Filmer des cadavres est une chose, mais il y a pire : ne rien pouvoir montrer ! J'ai vécu cette frustration extrême en Algérie, au plus fort des attentats commis par l'Armée islamique du salut (AIS), et son rival dans le sang, le Groupe islamique armé (GIA).

J'arrive à Alger au mois de janvier 1994 en compagnie du journaliste Raymond Saint-Pierre, du réalisateur Claude Lortie et du preneur de son Serge Bouvier. Notre but : illustrer les horreurs commises par les islamistes qui assassinent de façon sauvage des milliers de gens, ainsi que le climat de panique dans lequel vivent les habitants d'Alger. Cependant, nous le découvrons bien vite, l'horreur ici est invisible !

Nous nous rendons d'abord au consulat de France où un haut fonctionnaire, Claude Pierre, brosse pour nous un portrait de la situation. Le quart des 5000 Français d'Algérie ont quitté le pays pour revenir en France. Des milliers d'autres assiègent le consulat dans l'espoir d'obtenir le visa leur permettant de rentrer au pays. Monsieur Pierre nous explique que, pour cause de menaces incessantes, le bureau des visas a dû réduire son personnel : «Avant, nous avions 50 employés pour 1000 demandeurs de visas, et maintenant il ne reste que 12 fonctionnaires pour examiner 5000 demandes. C'est long et lent, les gens s'impatientent et des bagarres éclatent souvent, obligeant la police à intervenir.»

Pour illustrer ses propos, j'essaie de filmer des fonctionnaires au travail, mais on me l'interdit. Personne ne veut être identifié, même sur des images qui ne seront diffusées qu'au Canada. Je filme donc des mains tenant des crayons, des bouts de formulaires, le drapeau français, des chaises... J'essaie aussi de filmer l'interminable queue de demandeurs de visas à la porte du consulat : même refus. Les gens s'efforcent de cacher leur visage, on m'invective et un homme menace même de me tuer. Des policiers municipaux me conseillent de déguerpir avant que la situation ne dégénère. Je commence alors à réaliser que ce tournage sera infernal.

Deux heures après notre départ du consulat, une employée du service des visas, Monique Afari, mariée à un Algérien et mère de trois enfants, sort de son lieu de travail par une porte dérobée. Elle fait quelques pas et, au coin de la rue, un extrémiste lui tire à bout portant deux balles dans la tête. Elle meurt sur le coup. Monsieur Pierre, atterré, nous apprend la nouvelle au téléphone. Il est désormais hors de question que nous filmions quoi que ce soit autour du consulat, mais il nous révèle où se déroulera, dans le plus grand secret, l'enterrement de madame Afari.

Nous nous rendons deux jours plus tard au cimetière indiqué. Il pleut sur Alger et l'atmosphère est lugubre. Une petite foule est réunie près du lieu d'inhumation. Dès que je sors ma caméra, c'est la panique : on me fait signe de m'en aller, mais Claude Pierre intervient en ma faveur. Je ferai donc quelques images de la cérémonie, filmant la tombe en gros plan, des mains qui se tordent, des pieds avançant autour des stèles funéraires, des gros plans de fleurs, la pluie qui ruisselle sur la tombe, quelques personnes de dos, floues, qui ne pourront être identifiées. C'est d'un triste. Je voudrais leur offrir mes condoléances, mais je ne suis que l'intrus, celui par qui le danger peut arriver. Je m'éclipse pour ne pas indisposer davantage la famille et les amis en pleurs.

Monique Afari fait partie des 60 ressortissants étrangers assassinés à Alger depuis le début de l'offensive islamique en 1991. Mais de nombreux Algériens perdent aussi la vie pour avoir défié les obscurantistes. C'est le cas de plusieurs journalistes, dont ceux de *L'Hebdo libéré*, bien décidés à dénoncer la violence religieuse et la corruption du gouvernement, omniprésente et qui gangrène tout le système social. Pour régler ses comptes avec des gens qui contestent la mainmise des corrompus sur les affaires du pays, le gouvernement, selon ces journalistes, se rendrait lui-même coupable de meurtres et d'attentats, qu'il attribue à l'AIS et au GIA, ce qui embrouille encore plus les pistes d'enquête.

Nous faisons une entrevue avec la journaliste Naïma Hamouda, une trentenaire au regard franc qui circule en ville sans porter le voile, même si de plus en plus d'Algériennes se soumettent à ce rituel vestimentaire pour éviter d'être battues dans la rue. La jeune femme affirme ne jamais parler de son travail en dehors du bureau, et comme sa photo n'est jamais publiée, elle peut vaquer à ses occupations sans être inquiétée. À ceux qui lui posent des questions, elle répond qu'elle travaille dans une ambassade étrangère. Un an plus tard, au mois d'août 1995, Naïma Hamouda sera assassinée dans l'appartement qu'elle partageait avec une autre journaliste. Il faudra neuf jours aux autorités pour identifier formellement son cadavre criblé de balles et mutilé de façon barbare.

Toujours à *L'Hebdo libéré*, nous faisons une autre entrevue avec le rédacteur en chef Abderrahmane Mahmoudi, dont la tête est mise à prix par les fous d'Allah. Il nous décrit l'importance de la liberté de la presse dans un contexte aussi explosif. Son équipe et lui tentent de maintenir à jour le compte des morts violentes en Algérie, mais la collaboration avec la police est difficile. Il y aurait eu plus de 800 défections au sein des forces de l'ordre parce que la pression est devenue trop forte. Les policiers quittent le métier pour protéger leurs familles, et ceux qui restent vivent un stress constant. Lorsqu'ils mènent des raids dans les quartiers islamistes, ils portent des cagoules pour ne pas être reconnus, ce qui leur a valu le surnom de « ninjas ».

Pour illustrer ces entrevues, il me faut donc faire preuve d'ingéniosité, car on ne peut montrer les visages des journalistes, ni filmer des détails qui serviraient à identifier leur local. Je filme de dos une secrétaire au travail, du nom de Naïma Naïli, qui a 20 ans à peine et qui fait preuve d'un grand courage en gagnant sa vie dans cette poudrière. Le photo-reporter Madjid Yacef, 40 ans, a pour tâche de photographier la guerre sans nom qui ravage son pays. Nous fraternisons, car lui aussi doit trouver une façon éloquente et parfois détournée d'illustrer le conflit.

Je ne le sais pas encore, mais les images que je rapporte de ces personnes sont parmi les dernières à leur être consacrées. Le 21 mars suivant, une bombe terroriste est lancée au journal. Madjid et son chauffeur Rachid sont déchiquetés. Le frère du rédacteur en chef, Nadir, fait partie des victimes et la jeune Naïma est grièvement blessée. Le patron du groupe, Abderrahmane, venait de s'absenter pour assister aux obsèques d'un autre journaliste assassiné. Le destin fait parfois preuve d'une tragique ironie.

La liste des morts en sursis s'allonge. Raymond Saint-Pierre fait une entrevue avec Saïd Sadi, président du Rassemblement pour la culture et la démocratie. Monsieur Sadi est un Berbère de Kabylie, une région prétendument plus sécuritaire, mais lui aussi sera touché le 29 juin suivant par une bombe qui fera 65 blessés.

• • •

Nous avons plusieurs entrevues dans nos bagages, mais il faut maintenant montrer la terreur des rues, une tâche impossible, car les habitants de la ville vaquent à leurs occupations comme si de rien n'était. Il y a quelques hommes aux terrasses, mais aucune femme. Les boutiques font des affaires, les marchés offrent des produits frais, les taxis et les transports en commun fonctionnent. Alors, que filmer? La vie quotidienne des gens, tout simplement. Je filme des femmes, presque toutes voilées, marchant en groupes dans la rue; des hommes au visage fermé qui pressent également le pas. Il y a une tension dans l'air, je la sens, mais mes images y semblent insensibles. Je cherche en vain des gens qui raseraient les murs, des barbus qui me feraient un doigt d'honneur, une pancarte indiquant qu'un lieu est «fermé pour cause de violences», n'importe quoi! Je filme alors des autos, des fontaines, un boulanger, une pizzeria bien ordinaire (qui sera bombardée une semaine après notre retour à Montréal), bref que des trucs d'une banalité sans nom. J'enrage. Dans de tels cas, le journaliste doit broder avec des phrases du genre «Malgré cette apparente sérénité, le peuple algérien a peur» et autres grands traits d'éloquence.

Il nous manque donc des images-chocs. Raymond et le réalisateur décident de jouer le tout pour le tout et nous partons pour Blida, une petite ville contrôlée par le bras armé de l'AIS. Sans demander d'autorisation, nous y allons en voiture, un trajet de 90 minutes. Nous arrivons en plein après-midi. La ville semble endormie et, sur la place, seul un chien nous renifle sans grand intérêt. Pas de bain de sang en vue ni de fanatiques armés jusqu'aux dents. J'ai à peine le temps de tourner trois plans de volets clos qu'une escouade de policiers en civil nous encercle. Incrédules, ils écoutent notre histoire et nous ordonnent de les suivre immédiatement à la gendarmerie, où ils nous engueulent. Ils nous trouvent totalement inconscients, persuadés que l'AIS sait probablement déjà que nous sommes ici et qu'un attentat se prépare sans doute au moment où ils nous parlent. Tous les policiers de la ville vivent et dorment à la gendarmerie, car il est trop périlleux de circuler en ville. Ils ne nous traitent pas de naïfs imbéciles, mais le ton qu'ils emploient avec nous ne laisse aucun doute sur ce qu'ils pensent de ces «touristes de la presse internationale»! Nous revenons donc bredouilles et penauds à Alger, sans nos images-chocs…

C'est bientôt l'heure du départ et je cherche toujours un angle inédit pour illustrer le climat de peur. Par hasard, je me retrouve devant une affiche de cinéma complètement vandalisée, celle du film *Mélodie de l'espoir*, du réalisateur Djamel Fezzaz. On y voit une jeune femme aux cheveux ondulés qui sourit, libre et heureuse. Des moralistes ont barbouillé le visage de la jeune actrice Amel Abdelaziz, 17 ans, qui faisait dans ce film ses débuts au cinéma. Voilà, notre angle est trouvé !

Nous essayons de contacter l'actrice et demandons qu'elle nous rappelle à l'hôtel. Le résultat ne se fait pas attendre : un homme qui se dit le protecteur de la vedette nous appelle pour nous dire de cesser toutes nos démarches et qu'il nous arrivera malheur si nous tentons de la joindre. En fait, la pauvre fille vit un enfer depuis la sortie du film. Ciblée par les extrémistes, elle doit aller au lycée en compagnie de trois gardes du corps. Sa jeune tête est mise à prix et sa carrière est déjà finie ! Un an plus tard, en 1995, le réalisateur échappera de justesse à un attentat à la bombe. Pourtant, ce film d'amour bien anodin avait attiré les foules dans les cinémas, surtout des jeunes, et représentait une petite bouffée d'air frais dans un climat étouffant. Une des actions des islamistes est de fermer les cinémas, qu'ils considèrent comme des « lieux de débauche ».

Nous revenons à Montréal via Paris, où nous prenons conscience de toute la pression accumulée pendant notre séjour à Alger. Dans la capitale française, les femmes sont libres, elles rient sur les terrasses, les cheveux au vent, des couples s'embrassent en public, des enfants jouent sans surveillance dans les ruelles et on peut se promener dans la ville sans craindre une rafale de mitraillette. C'était bien sûr avant les tueries du Bataclan et de *Charlie Hebdo*…

Nous en profitons pour enregistrer une entrevue avec le journaliste Arezki Metref, cofondateur de l'hebdomadaire algérien *Ruptures*, qui a fui son pays après l'assassinat de son collègue Tajar Djaout. Monsieur Metref nous explique pourquoi la liberté d'expression est honnie par les islamistes, qui n'imaginent le monde qu'en vertu de leurs propres croyances. Il est aujourd'hui chroniqueur au quotidien londonien *The Guardian*.

Enfin, je filme une entrevue avec le cheik Abdebaki Sahraoui, chef de file du FIS et planqué à Paris alors que ses rivaux du GIA, le jugeant trop peu radical, ont mis sa tête à prix. L'homme nous explique que les meurtres en Algérie, cinq ou six tout au plus selon lui, visaient des écrivains ou des journalistes ayant insulté le FIS sans rien connaître des grands bienfaits de l'éducation religieuse musulmane. Un an après cette entrevue, il sera abattu dans une mosquée parisienne par des inconnus.

Nous sommes 25 ans plus tard et le cancer de l'islamisme agressif ronge toujours nos sociétés, faisant un tort immense aux musulmans sincères du monde entier, associés malgré eux à la barbarie. De nombreux journalistes disparaissent régulièrement en exerçant leur métier, mais je me demande si le grand public réalise à quel point ce travail peut être dangereux.

Pour l'anecdote : à mon retour à Montréal, j'ai demandé à mon employeur combien aurait touché ma veuve si j'avais été tué dans un attentat à Alger. Réponse : puisque l'Algérie n'est pas en guerre, donc pas officiellement une zone à risque élevé, ma très chère Gisel n'aurait touché aucune indemnité supplémentaire. Je ne lui ai jamais dit ! De toute façon, les membres de ma famille n'ont jamais vraiment réalisé les dangers auxquels je m'exposais lors de ces tournages en zone périlleuse. Pour eux, je partais faire de beaux voyages à l'étranger...

STABAT MATER

BOSNIE-HERZÉGOVINE

La haine raciale et religieuse a fait près de 100 000 victimes entre 1992 et 1995 en Bosnie-Herzégovine. Les milices serbes, croates et bosniaques se sont affrontées dans des tueries dont la barbarie défie l'imagination, à tel point que j'en suis arrivé à douter vraiment de l'intelligence de la race humaine.

Un de mes nombreux voyages dans cette région m'amène à Sarajevo en 2002, en compagnie de la journaliste Alexandra Szacka et de la réalisatrice Christine Gautrin, toutes deux de Radio-Canada. Nous logeons au Holiday Inn, au bout d'une grande avenue bordée d'édifices ayant beaucoup souffert. Au plus fort des combats, les Serbes occupaient les hauteurs de la ville et tiraient sur les gens et leurs maisons. À l'époque, cet hôtel était bombardé chaque soir, même si la presse internationale essayait d'y dormir. Faisant preuve d'humour noir, les journalistes demandaient toujours : « Une chambre avec vue sur la ville, s'il vous plaît. » Cinq ans après le cessez-le-feu, on voit encore les trous de balles et d'obus sur les murs avec vue sur les collines.

Même si la guerre est terminée, on découvre toujours des charniers sur ce territoire, et des milliers de personnes manquent encore à l'appel. Notre tâche débute auprès d'un enquêteur québécois, membre de la Gendarmerie royale, dans une banlieue de Sarajevo. L'homme, Jean Gagnon, a été chargé par le Tribunal pénal international de retrouver les cadavres manquants. Gaillard dans la trentaine, vêtu en civil, il nous reçoit dans un café pour nous expliquer en quoi consiste son travail et pour nous servir une mise en garde : les tueurs qui ont creusé les charniers remplis de squelettes d'hommes, de femmes et d'enfants sont très nerveux à l'idée que l'on puisse découvrir leurs crimes impunis. Selon l'agent Gagnon, ils sont prêts à tout pour empêcher son équipe de réussir, et ils risquent de s'en prendre à nous s'ils réalisent que nous voulons parler de ces fosses communes à la télévision canadienne.

Visiblement nerveux, monsieur Gagnon nous exhorte de le laisser d'abord préparer le terrain auprès des gens du coin. Il s'apprête à se rendre dans la région de Glogova, près de Sarajevo où, selon ses informateurs, sont ensevelies de nombreuses personnes. Ce nouveau charnier, qu'il appelle la scène de crime, s'étend sur un vaste territoire de 40 kilomètres de long sur 60 kilomètres de large. C'est immense ! Le problème, et il est de taille, c'est que les Serbes ont tout fait pour en effacer la trace. Seuls des vols de reconnaissance aérienne, financés par les Nations Unies, ont permis de repérer les fosses communes. Il faut maintenant sécuriser la zone pour éviter qu'elles ne soient déplacées illégalement, comme beaucoup d'autres l'ont été avant celles-ci. Jean Gagnon nous raconte que les Serbes utilisent des excavatrices pour déménager et cacher les corps. Ce faisant, ils éparpillent les ossements sur plusieurs kilomètres, rendant très difficile l'identification des victimes. Ce sont les ornières de ces excavatrices, visibles du ciel, qui ont conduit les enquêteurs sur les lieux du crime.

Nous suivons l'agent à Glogova, mais restons en retrait jusqu'à ce qu'il nous fasse signe que tout va bien. Visuellement, le tournage est décevant, car je ne réussis à filmer qu'un terrain vague, un champ banal. La majeure partie des cadavres restent enfouis. Une exploration sommaire a toutefois permis à l'équipe de Jean Gagnon de découvrir que ce charnier contient surtout des cadavres d'enfants, reconnaissables à leurs petits os. Pour montrer des images de ces jeunes victimes, ou du moins de ce qu'il en reste, je dois retourner à Sarajevo, à la grande morgue où sont envoyés tous les restes humains découverts dans les fosses communes.

L'endroit ressemble à un immense entrepôt de deux étages. J'y rencontre la chef du service médicolégal, Kathryne Bomberger, une grande blonde très énergique, dans la mitrentaine. Cette Américaine est une sommité dans son domaine et sera d'ailleurs nommée, deux ans plus tard, dirigeante de la Commission internationale des personnes disparues (ICMP). Elle me fait penser à l'anthropologue judiciaire et romancière Kathy Reichs, qui a inspiré la série télévisée *Bones*.

Madame Bomberger me montre d'abord ses immenses registres dans lesquels sont consignés tous les détails concernant les victimes retrouvées : la couleur des bouts de tissu recouvrant les chairs, la description de petits objets retrouvés près des os, le nombre de dents, la couleur des cheveux s'il en reste, bref, tout ce qui pourra permettre de mettre un nom sur chaque mort. « Il ne faut pas oublier que ces ossements ont appartenu à des hommes, des femmes et des enfants qui avaient une identité propre, une personnalité, des espoirs et des rêves, me dit-elle. C'est important de les traiter avec respect. »

Je la suis avec ses techniciens dans un très grand hangar légèrement réfrigéré. L'odeur de pourriture me brûle la gorge et les sinus. La médecin m'informe qu'il est impossible de baisser adéquatement la température d'un si grand entrepôt, de sorte que les restes humains continuent de se dégrader, obligeant son équipe à travailler dans l'urgence. J'ai l'impression de filmer l'intérieur d'une immense bibliothèque puante : des milliers de classeurs sont empilés les uns sur les autres et chacun comporte des tiroirs contenant les restes répertoriés dans les registres, dûment numérotés. Madame Bomberger précise que cet entrepôt ne contient que des cadavres d'enfants. Les autres sont ailleurs. Comme ces petits n'avaient pas de biens personnels en leur possession, il est très difficile de leur attribuer un nom. En plus des casiers, l'endroit abrite plus de 5000 sacs de plastique contenant des restes non répertoriés, des os, des crânes où un peu de chair est encore attachée. Je filme tout. Au moment de ma visite, seule une centaine de petits avaient été identifiés avec certitude. Je remarque qu'Alexandra et Christine ne sont restées que 10 secondes dans l'entrepôt, car l'odeur leur est insupportable. Je réalise aussi que l'endroit est infesté de milliards de petites mouches, comme les insectes à fruits qui survolent les bananes trop mûres dans ma cuisine. Je ferme la bouche pour ne pas en avaler. Je tiens ma caméra près de mon visage, ce qui les éloigne un peu.

Le tournage de la morgue a duré une demi-heure. Cela a suffi pour que mes vêtements soient imprégnés de l'odeur caractéristique des corps en décomposition. Dans la voiture qui nous ramène à l'hôtel, les filles baissent toutes les vitres ; elles m'ordonnent d'aller prendre une douche et de mettre des vêtements propres. J'aurai beau me laver à l'eau bouillante, un goût infect remontera dans ma salive chaque fois que j'évoquerai le souvenir de cette morgue.

Le lendemain, nous allons rencontrer des Mères de Srebrenica, un regroupement de femmes bosniaques dont les maris ou les enfants ont été assassinés par les Serbes. Réunies dans un local de Sarajevo où sont accrochés des posters rappelant le génocide, ces musulmanes s'entraident du mieux qu'elles le peuvent. Elles se donnent l'une l'autre de petites tâches à effectuer pour sortir de la pauvreté et, surtout, elles mettent en commun les informations qu'elles possèdent afin de retrouver leurs chers disparus. La directrice de l'association se nomme Sabra Kolenovic. Cette femme à la cinquantaine énergique et déterminée deviendra plus tard un témoin clé dans le procès du criminel de guerre serbe Radovan Karadzic, condamné à la prison à vie par le Tribunal pénal international de La Haye.

Madame Kolenovic nous montre les albums de photographies recueillies par les femmes dans les morgues de la ville : les portraits de leurs maris, de leurs frères ou de leurs fils, les vêtements qu'ils ont portés, et qu'elles ont lavés et repassés pour mieux les différencier. Elles ont aussi photographié leurs montres et leurs bijoux, dans l'espoir que les équipes de la morgue puissent faire un rapprochement entre ces artefacts et les restes analysés par Kathryne Bomberger. Puis elle nous annonce que trois femmes des Mères de Srebrenica ont décidé de retourner chez elles, après cinq ans d'absence, comme le permettent les accords de Dayton de

1995 mettant fin aux combats. Elles ont fui le massacre et survécu de justesse, mais leurs hommes y ont été tués. Que vont-elles trouver dans cette ville aujourd'hui habitée en majorité par des Serbes? Avant 1992, Serbes, Bosniaques et musulmans vivaient en bon voisinage, mais la folie de la guerre a tout détruit. Ces trois épouses et mères nous invitent à les accompagner: elles pensent qu'une équipe de télévision étrangère pourra les protéger d'éventuelles représailles. Nous sommes, je crois, les premiers journalistes à filmer un pareil pèlerinage aux sources de l'horreur.

Sept ans après le massacre de 1995, ces femmes de Srebrenica n'ont toujours pas fait leur deuil. Elles se prénomment Zomra, Hatidja et la troisième, qui parle un peu anglais, s'appelle Sabaheta Fejzic. L'histoire tragique que nous raconte Sabaheta est celle de milliers de musulmanes victimes de la purge ethnique qui a marqué le pays au fer rouge.

•••

Nous partons de bon matin de Sarajevo à bord de deux véhicules. Les trois femmes et leur chauffeur ouvrent la route et nous suivons, Alexandra, Christine et moi, dans notre voiture louée. Notre chauffeur et interprète musulman nous a faussé compagnie, inquiet de se retrouver en territoire serbe, même si les combats sont terminés. Nous nous débrouillerons sans lui. Il a neigé toute la nuit et les routes sont difficilement praticables dès que nous nous éloignons de la ville. J'ai beaucoup conduit en hiver sur les routes de la campagne québécoise, j'ai donc l'habitude des ornières glacées. Srebrenica est à 80 kilomètres et il faudra quatre heures pour y arriver.

Tout le monde est silencieux dans la voiture. Nous regardons les vestiges des combats : des trous au bord de la chaussée, des débris de métal tordu et des ruines de maisons dévastées par les bombardements. Au sommet d'une colline surplombant Sarajevo, j'explique à mes coéquipières comment les Serbes pilonnaient la ville à partir de ces hauteurs. Pour être venu ici en 1992 avec le journaliste Raymond Saint-Pierre, je sais aussi que les *snipers*, les fameux tireurs d'élite, prenaient grand plaisir à abattre les habitants sortis faire leurs courses entre deux bombardements.

Deux heures plus tard, la voiture des trois femmes se range près d'un fossé. Elles en sortent, le visage grave. J'attrape ma caméra pour enregistrer leur témoignage. Sabaheta raconte que nous sommes à l'endroit où elles ont émergé de la forêt pour marcher en direction de Sarajevo. Pendant des heures, elles avaient erré dans les bois et les bosquets, tentant d'échapper aux patrouilles serbes qui contrôlaient les routes. Celles qui se faisaient prendre étaient violées, torturées et parfois même décapitées. Elles avaient quitté Srebrenica en hâte, affolées, sans aucune nourriture ni aucun vêtement de rechange. Elles font partie des plus chanceuses qui arrivaient à Sarajevo dans un état de dénuement et de désespoir total. Je filme leurs visages en gros plan, surpris de n'y voir aucune larme. Alexandra me chuchote : « C'est parce que le pire s'en vient… »

Nous arrivons finalement à Srebrenica, notre destination. Ici, il n'y a pas eu de bombardements, car les Serbes contrôlaient le territoire. Je m'arrête à quelques reprises pour filmer des fermes et des granges incendiées. Je ne vois aucune trace de combats, donc j'en déduis que ces habitations ont été brûlées après le cessez-le-feu. À plusieurs endroits, la végétation sauvage a repris ses droits dans les ruines. La voiture de nos trois femmes se range dans un champ, en pleine campagne. Près de la route, je vois un groupe de bâtiments abandonnés, probablement une ancienne usine, avec ses larges hangars. De l'autre côté du chemin, entouré de foin, se dresse un obélisque en granit d'un peu plus d'un mètre de hauteur. Nous sommes à Potocari et ce monument est un rappel des 8000 personnes tuées ici. En face de l'ancienne usine, l'ONU a découvert un immense charnier et décrété que l'endroit deviendrait un lieu de remémoration.

Zomra, Hatidja et Sabaheta se dirigent en silence vers le plus grand hangar et je les précède avec ma caméra. Le bâtiment est vide et désert. Je n'y décèle aucune odeur particulière. Puis Sabaheta devient livide et fixe mon objectif : « Maintenant, dit-elle, je vais vous raconter. » Sur un ton monocorde, elle me décrit la fin de ses jours heureux :

« Nous avons été amenés ici de force par les Serbes, hommes, vieillards, femmes et enfants. Un escadron de Casques bleus néerlandais campait dans les environs. Nous nous sommes donc crus en sécurité, car ces hommes armés allaient nous protéger. C'est du moins ce que les villageois se racontaient. Cependant, les Casques bleus nous ont dit d'obéir aux ordres des Serbes. Ces derniers ont exigé que les hommes et les garçons de 12 ans et plus se rangent à droite, dans le hangar, et ont ordonné aux femmes de partir. J'ai pris mon petit Ricky dans mes bras et j'ai crié : « Pas lui, non, vous ne le prendrez pas, il est mon seul enfant. Prenez-moi à sa place, de grâce, il est trop jeune, laissez-le partir. » Les hommes armés ont alors commencé à me crier dans les oreilles de le lâcher : « C'est lui que nous voulons ! » Mon garçon tremblait de tous ses membres, blotti contre moi, le visage tout blanc. Je revois encore ses grands yeux bruns effrayés, mouillés de grosses larmes. Il a mis ses bras autour de mon cou et m'a embrassée sur les deux joues. Je n'oublierai jamais la douceur de ses baisers et je sentirai son étreinte sur ma poitrine pour l'éternité. Les Serbes me l'ont alors arraché et je ne l'ai plus jamais revu. Après, je ne me souviens plus… J'ai tenté plus tard de me suicider, mais je n'ai pas réussi. Je suis contente d'avoir raté mon coup, car si je n'étais plus là, qui pourrait vous raconter l'histoire de mon cher fils ? »

Ma caméra est à quelques centimètres du visage de Sabaheta baigné de larmes. Je ne me sens pas voyeur, mais témoin d'un immense désespoir. Je la filme en silence, impuissant, les yeux pleins d'eau.

Le massacre durera neuf jours ; les hommes et les garçons seront abattus pendant que les femmes essaieront de fuir dans la forêt. Aujourd'hui, le Mémorial de Potocari est devenu un lieu sacré, et des centaines de pierres tombales entourent l'obélisque de granit, témoins silencieux de milliers de vies fauchées.

Une heure plus tard, les trois femmes visitent leurs anciennes demeures habitées par l'ex-ennemi. Par pudeur ou pour ne pas susciter d'hostilités, elles nous demandent de ne pas les accompagner. Comment se comportent des gens qui voient arriver dans la maison qu'ils habitent la propriétaire dont on a tué le mari et le fils ? J'ose à peine imaginer la honte…

En passant devant une église remplie à craquer, nous décidons d'entrer filmer les habitants de Srebrenica alors qu'ils implorent leur Dieu. Que lui demandent-ils ? J'ai à peine mis les pieds dans l'édifice qu'un prêtre véhément m'ordonne de sortir. Dans les rangs des fidèles, je ne vois que des visages hostiles : les Serbes en veulent terriblement à la presse internationale, qu'ils accusent d'avoir inventé toutes ces histoires de massacres. Selon eux, ils n'ont fait que se défendre des attaques musulmanes, mais ce n'est pas cette version qu'a retenue l'Organisation des Nations Unies. Je quitte l'église et ses dévots.

Un souvenir de 1992 me revient en mémoire : en pleine période de combats, les Serbes payaient 500 $ US pour toute tête de journaliste étranger, y compris celle d'un camera-man. En plus des *snipers*, je devais constamment surveiller mes arrières. Nous avions surtout la frousse aux points de contrôle serbes dans les secteurs isolés ; 500 $ US, c'est beau-coup d'argent dans cette région du monde !

Sur le chemin du retour, nous passons devant une auberge qui nous semble fort animée. Alexandra et Christine décident d'y entrer pour voir comment les Serbes d'au-jourd'hui se divertissent malgré leur défaite. Munies d'une caméra cachée, elles pénètrent dans la taverne pendant que j'attends dans la voiture en marche. Mon instinct me dit qu'elles n'y resteront pas des heures. En effet, elles n'auront que le temps de filmer une douzaine d'hommes tatoués et très musclés buvant de la bière. Sur les murs de l'établisse-ment, trônent deux photographies géantes : celles de Ratko Mladic et de Radovan Karadzic, les bourreaux responsables de milliers de morts. « Ce sont nos héros », clame fièrement un des buveurs. Les gars regardent avec amusement ces deux jolies touristes qui s'intéressent beaucoup aux photos des criminels serbes. « Dites, fait l'un d'eux, vous ne seriez pas journalistes ? » Les deux filles leur font un petit salut et se ruent vers la sortie. Je les vois courir jusqu'à la voiture, où

elles entrent en vitesse. «Nous avons des images du tonnerre», crient-elles dans un grand éclat de rire nerveux. Je
fonce à toute allure vers Sarajevo. Je ne sais pas si nos têtes y
sont toujours mises à prix…

THE SHOW MUST GO ON

AFGHANISTAN

En 1988, l'Union Soviétique commence à retirer ses troupes d'Afghanistan, devenu un bourbier ingérable. Plus de 50 000 soldats sont rapatriés cette année-là, et il y en aura autant l'année suivante. Les Russes en ont marre de se battre contre les moudjahidines financés et entraînés par les États-Unis. C'est une grande défaite pour la fière armée soviétique, mais Mikhaïl Gorbatchev l'assume pleinement. Nous sommes à un an de la chute du mur de Berlin. Pour marquer les esprits, le gouvernement de l'URSS organise une immense opération de relations publiques : la planète entière sera témoin de la vaillance des soldats soviétiques quittant l'Afghanistan après des années de combats acharnés. Je vais couvrir l'événement pour Radio-Canada en compagnie de la journaliste Madeleine Poulin et du réalisateur Daniel Gourd.

Nous sommes une trentaine de journalistes et de techniciens à arriver à Kaboul par un vol d'Aeroflot, en provenance de Moscou. Les grands réseaux américains de télévision boycottent l'événement, l'assimilant à de la propagande soviétique. Pour nous, au contraire, ce voyage représente une fenêtre privilégiée sur un Afghanistan en proie à une succession d'invasions, et où traditions et modernité se heurtent de façon constante.

Au moment de l'atterrissage, le spectacle à grand déploiement commence. Notre avion amorce sa descente en spirale, une technique visant à déjouer d'éventuels attaquants armés de missiles sol-air Stinger, ces armes d'épaule «ingénieuses» développées par les Américains, qui les distribuent généreusement aux combattants afghans. Quelques secondes plus tard, nous sommes rejoints par un gros avion militaire. Ce dernier lance autour de nous des paillettes thermiques destinées à désorienter le système de guidage par infrarouge des missiles. Ces centaines de boulettes de magnésium éclatent en dégageant une chaleur blanche plus intense que celle des réacteurs d'un avion, ce qui donne à l'appareil attaqué quelques secondes pour effectuer des manœuvres d'évitement. Le résultat est spectaculaire et je regarde, fasciné, ce feu d'artifice diurne, me disant qu'il me faudra absolument des images de cette pyrotechnie. Puis, un hélicoptère prend le relais et lance à son tour ses paillettes explosives autour de nous. Un silence de mort règne dans l'avion. Pour détendre l'atmosphère, j'ai envie de chanter l'air de Broadway *Show-business is show-business*, mais je me retiens. Finalement, nous atterrissons sans encombre.

Les formalités douanières sont vite expédiées, car nous sommes les invités de l'administration militaire russe. On nous a assigné un interprète depuis Moscou, un gringalet boutonneux dans la trentaine qui tremble déjà à l'idée de se retrouver en territoire de guerre. Il nous avoue être un petit fonctionnaire bien ordinaire, promu volontaire parce qu'il parle anglais. Nous nous doutons bien qu'il est également un espion à la solde de ses maîtres mais, comme le dit Madeleine, nous n'avons rien à cacher.

Je découvre que la télévision américaine a tout de même dépêché un représentant, le journaliste d'origine canadienne Arthur Kent, engagé par le réseau NBC. Kent est accompagné d'une équipe venue de Pologne. Ce genre d'arrangement se produit souvent lors de reportages à l'étranger : pour rogner sur les frais de déplacement, les réseaux engagent des techniciens pigistes à moindres frais au lieu d'envoyer leurs propres équipes syndiquées. Le cameraman polonais et moi serons donc les seuls à tourner des images du retrait soviétique d'Afghanistan.

Précédés et suivis d'une imposante escorte militaire, nous arrivons au très confortable Hôtel Intercontinental. La journaliste et le réalisateur occupent des chambres côté ville, tandis que la mienne est située côté collines. Au loin, de superbes montagnes bouchent l'horizon. Je comprends assez vite qu'ici, comme à Sarajevo, le côté collines peut se révéler sportif. À 15 heures exactement, des lance-roquettes russes entrent en action presque en bas de mon balcon dans un vacarme inouï. Ce sont les fameux *orgues de Staline*, ces regroupements de dizaines d'obus lancés en même temps au son de tonitruants *vizz vizz vizz* mortels pour les tympans. Je sors avec ma caméra et filme ce «concert» dont on jurerait qu'il a été organisé exprès pour moi. Le vacarme dure trois heures. Au loin, dans les montagnes, je vois éclater les obus dans une petite fumée blanche. Personne ne riposte. J'annonce fièrement à mon équipe que j'ai enregistré des images et du son apocalyptiques.

Quelques heures plus tard, je rencontre mon interprète au bar de l'hôtel, en compagnie de deux officiers soviétiques. Nous fraternisons assez rapidement. L'un d'entre eux est le grand responsable des relations publiques de l'armée, et il est désireux de savoir si j'apprécie mon voyage jusqu'à présent. Il m'informe que le «concert d'orgues» se déroule tous les jours à la même heure, réglé comme du papier à musique. Comme ça, tout le monde a le temps de se mettre à l'abri, dit-il en rigolant. J'aime bien son humour. Nous évitons de parler de politique et le boutonneux traduit les principaux éléments de notre agréable conversation. Les bières et les verres de vodka succèdent à d'autres bières et à d'autres verres de vodka. Je tiens assez bien l'alcool, mais ces officiers sont des maîtres en la matière. Chaque gorgée est précédée d'un toast à la santé des soldats russes morts au combat, puis aux soldats blessés, puis aux soldats indemnes, et ça recommence. Vers minuit, plutôt pompette, je monte à ma chambre après un dernier toast à la sainte Russie et aux braves camarades !

Le lendemain se passe à interviewer des officiels soviétiques et afghans qui se déclarent tous très confiants en l'avenir du pays. Je vous épargne les détails plutôt barbants. Tout le monde sait qu'une fois les Russes partis, les talibans islamistes vont reprendre le flambeau et que la guerre va continuer.

Le soir venu, je rencontre mes nouveaux amis russes ainsi que mon interprète en face du bar et, bien sûr, ils m'invitent à m'asseoir avec eux. Je pense au léger mal de tête qui m'a accompagné toute la matinée, et songe à décliner leur offre, mais mon grand sens de la diplomatie me suggère de ne pas froisser des hôtes aussi prévenants... C'est donc reparti pour une nouvelle tournée ! Cette fois, les Soviétiques exigent que ce soit moi qui porte les toasts. Alors, un verre à la mémoire des soldats tombés au front, un autre à la santé des blessés, un autre à celle des soldats russes en général et on recommence. Après deux heures de ce manège, l'officier des relations publiques me demande si je souhaite filmer quelque chose en particulier à Kaboul. Je saute sur l'occasion et lui dis que les hélicoptères et les avions de combat me fascinent. « Parfait, dit-il, rendez-vous demain matin à 8 heures à la guérite numéro 24. » Et vive la vodka diplomatique !

L'homme a tenu parole et m'accueille le lendemain matin à l'endroit convenu. Nous sommes entourés d'hélicoptères qui se posent ou décollent. Le bruit est intense, la poussière aussi. Je vois un type qui hurle des ordres, un personnage fabuleux : cet officier ressemble à Robert Duvall dans *Apocalypse Now*. Un chapeau de cow-boy vissé sur la tête, un pistolet attaché à la jambe, il a tout d'un personnage hollywoodien en pleine action. Mon guide va lui demander s'il accepte d'être une vedette de mon film, ce qui plaît beaucoup à cet homme singulier. Puisqu'il commande un gros hélicoptère, mon Robert Duvall va même me prendre à bord pour une mission sur le terrain, « si vous n'avez pas peur du danger ». Je lui réponds : « Eh *man*, le danger c'est notre métier, non ? » Il me regarde avec admiration, conquis par mon aplomb.

Des soldats nous prennent en photo avant le décollage, probablement pour les archives de l'armée, et je monte à bord du gros engin. Un sergent, que je surnomme Popov, m'y accueille froidement, peu réceptif à l'idée d'amener un civil non communiste en mission, mais le commandant Hollywood lui en donne l'ordre, ce qui fait taire ses objections. Je demande sans trop y croire que la porte de l'hélico reste ouverte pendant le vol, afin que je puisse faire de bonnes images. Il semble que le touriste a toujours raison, alors le général Technicolor donne des ordres. On m'attache solidement avec un harnais de sécurité et me voilà assis dans la porte, les jambes pendant au-dessus du vide.

Nous décollons dans un tonnerre vrombissant, entourés d'autres hélicos qui tirent leurs boulettes de magnésium aveuglantes. Mon viseur capte un délire de feu et de fumée, j'ai l'impression d'être devenu Francis Ford Coppola en plein tournage en cinémascope et trois dimensions. Ne manque plus que *La Chevauchée des Walkyries*, qu'on pourra toujours ajouter au montage !

Une demi-heure plus tard, nous sommes en vue d'une grosse montagne. Quatre hélicos nous accompagnent toujours et nous bombardent de leurs boulettes thermiques. Le pilote se pose sur un petit pic rocheux, en laissant tourner les hélices à plein régime. Le moteur principal proteste en grinçant. J'ai l'impression que le pilote appuie sur les freins et sur l'accélérateur en même temps. Ces gars-là sont vraiment sans pitié pour leur matériel. Nous ne sommes pas sitôt posés que je vois deux soldats russes courir dans notre direction, un baluchon sur l'épaule. Je détache mes liens et me précipite dehors pour filmer leur avancée, mais une main de fer m'attrape par la culotte et me lance à l'intérieur: c'est Popov qui me crie de façon non équivoque de rester à bord. Étrangement, je comprends soudainement le russe ! Je filme donc, bien installé près de la porte.

J'apprends que ces soldats sont les chanceux dont la mission en Afghanistan est terminée. Leurs camarades, qui partiront plus tard, leur font des signes d'adieu. Juste avant de monter près de moi, un solide gaillard dans la trentaine retourne sur ses pas, cueille quelques fleurs sauvages dans un bosquet et court les offrir à un des soldats restés sur place. L'autre sourit et ils se font une accolade bien sentie. La scène me sidère. En 10 secondes, je viens de filmer un exemple magnifique de l'amitié des tranchées, celle qui lie les hommes en guerre. Une parfaite *image Tintin* que j'évoquais dans un précédent chapitre, l'image idéale qui rejoindra les autres dans mon album mental. De retour à la base, je remercie mon photogénique commandant et lui offre mon canif suisse multi-outil. Je sais que cet objet est introuvable à Moscou. Il me remercie dans sa langue avec un grand sourire.

À l'hôtel ce soir-là, les Soviétiques et les Afghans organisent une nouvelle conférence de presse avec des officiels des deux pays, mais Madeleine et Daniel jugent que nous n'y apprendrons rien de neuf. J'en profite donc pour sortir du bâtiment avec ma caméra. Les leurres de magnésium étaient très aveuglants et je veux faire des tests dans l'obscurité pour vérifier comment ma Betacam à tube a réagi à ces multiples éclairs, si elle a conservé sa sensibilité à la lumière. J'installe mon trépied en face d'un buisson mal éclairé et j'ai à peine le temps de déclencher l'appareil que trois roquettes éclatent à 300 mètres de moi, devant mon objectif. Je me jette par terre, mais tout va bien, je suis indemne. La caméra n'a pas souffert non plus, c'est le principal. Tous les cameramen du monde ont le même réflexe : protéger la caméra. Sans elle, il devient impossible de travailler et, on l'a dit, sans image, pas de reportage ! J'ai des collègues qui sont tombés dans des escaliers, ont dérapé sur des terrains glissants ou subi des accidents de voiture tout en serrant contre eux leur caméra pour lui éviter un choc. Une caméra hors service, c'est la honte assurée!

Je rembobine la cassette et visionne dans mon viseur ce qui vient de se produire : en plein centre de l'image, trois explosions illuminent la nuit. Le cadrage est parfait, comme si j'avais moi-même organisé ces effets spéciaux. Les soldats soviétiques s'agitent comme des abeilles affolées et m'ordonnent de rentrer à l'hôtel, ce que je fais avec un immense sourire de bonheur : j'ai des images exclusives d'une attaque à la roquette! Madeleine pourra donc prouver que les hostilités ne sont pas terminées. J'apprendrai plus tard que ce tir n'a fait ni dégâts ni blessés. Les moudjahidines voulaient simplement faire savoir aux journalistes que leur cause est toujours vivante en gâchant un peu le spectacle bien réglé des Soviétiques.

Rien ne rend un cameraman plus fier que des images exclusives et spectaculaires. Très vite, les autres journalistes veulent connaître mon histoire et Arthur Kent m'approche discrètement. La caméra de son équipe polonaise est brisée et il n'y a pas de pièces de rechange à Kaboul. Par contre, l'équipe de Varsovie possède une salle de montage portative, ce que nous n'avons pas. Nous concluons une entente amicale : nous ferons le montage de nos reportages sur la machine polonaise et, en échange, NBC transmettra mes images des cérémonies officielles à Montréal via satellite, ainsi qu'à New York. Madeleine Poulin a tout de même gardé pour elle mes exclusivités. Plus tard, mes images feront le tour de la planète, car, bien sûr, tous les réseaux internationaux les ont reprises après que Radio-Canada les eut diffusées. C'est ainsi que fonctionne la fraternité des cameramen et des journalistes en cas de nécessité, du moins c'est mon opinion. Peu importe la concurrence entre les réseaux de télévision, c'est la diffusion des images qui compte ainsi que le droit du public à visionner ces images. Le reste n'est que politique. Par contre, une exclusivité spectaculaire se partage rarement, car nos patrons ne nous le pardonneraient pas.

Aujourd'hui, 30 ans plus tard, je sais que plus de 520 soldats d'URSS stationnés en Afghanistan sont morts en 1988 et 1989, lors du retrait des troupes. Tout n'était donc pas que spectacle. En 10 ans, 15 000 Soviétiques y auront laissé leur vie, selon l'estimation de Moscou. La CIA parle plutôt de 50 000 morts. Je m'en veux d'avoir oublié les noms des sympathiques militaires qui ont porté des toasts avec moi à Kaboul. Je n'ai jamais eu de nouvelles du soldat au bouquet de fleurs ni du fantasque commandant aux allures hollywoodiennes. Mais je lève mon verre à leur santé : *VACHE ZDOROVIÉ* !

DES INUITS EN OR

NUNAVUT (CANADA)

Ce récit a commencé par un voyage dans le Grand Nord canadien et j'aimerais, pour le finir en beauté, vous raconter l'histoire d'un documentaire d'entreprise que j'ai réalisé près de Baker Lake au Nunavut, une région du Cercle arctique canadien située au nord extrême du Manitoba, un endroit très cher à mon cœur. Quiconque a visité cette région du monde reste marqué pour la vie. La solidarité entre les gens qui y travaillent, la dureté du climat, la pureté de l'air et la chaleur de l'accueil des Inuits rendent le Grand Nord incomparable à mes yeux.

En compagnie du journaliste et auteur Paul Toutant, j'ai filmé les opérations de la société minière Agnico Eagle, pour laquelle des gens courageux puisent l'or de la toundra dans les conditions les plus difficiles qui soient. La mine à ciel ouvert est exploitée par des travailleurs québécois venus principalement d'Abitibi, où le savoir-faire minier se transmet d'une génération à l'autre. De nombreux Inuits travaillent également à la mine de Meadowbank, ce qui nous a permis de fraterniser avec ces autochtones, à la grande surprise de la société qui a financé ce film. Nous avons en effet dépassé joyeusement notre mandat, qui était d'illustrer les différentes étapes de la quête de l'or dans le sol arctique. Nous sommes partis à la rencontre des habitants originaux de ce territoire, ces hommes et ces femmes dont la culture ancestrale se métamorphose rapidement au contact des Blancs et de leur fièvre de l'or.

Nous sommes allés trois fois à Meadowbank entre février et juin 2010, un périple de 4650 kilomètres aller-retour à partir de Montréal, soit la distance entre Paris et Moscou. Le vol dure toute la journée. Partis de Montréal avant l'aube, nous faisons escale à Val-d'Or, en Abitibi, pour y embarquer une soixantaine d'hommes. Ceux-ci travaillent deux semaines à la mine et reviennent ensuite au Québec pour un repos de deux semaines. Plusieurs avions vont se succéder pour ramener à la mine les autres travailleurs. Nous faisons une seconde escale à Churchill, au Manitoba, pour faire le plein, puis nous volons directement vers Meadowbank, où nous arriverons à temps pour le repas du soir. Chanceux, nous évitons chaque fois les blizzards qui peuvent empêcher les avions de décoller ou d'atterrir pendant plusieurs jours consécutifs.

Tout le monde est silencieux à bord de l'avion à hélices. Seul le ronron des moteurs berce nos rêveries. Les mineurs pensent aux membres de leur famille restés à Val-d'Or: l'épouse qui gère seule le ménage, les enfants à l'école, le train-train quotidien... Heureusement, le téléphone via satellite mis gratuitement à la disposition des travailleurs permet de garder le contact quand le temps le veut bien. Car le temps est capricieux à Meadowbank.

Par le hublot, je regarde défiler les lacs gelés parsemant le territoire, des milliers de cicatrices sur des espaces rocheux tous semblables et rongés par les lichens. J'ai l'impression d'avoir quitté la Terre pour survoler une planète hostile, sans vie apparente, où il serait facile de perdre tous mes repères d'homme civilisé. Le Nord a cet effet sur moi: je m'y sens étranger à moi-même, libre de toutes les attaches me reliant au monde connu. La toundra est vierge en apparence, mais je sais que la modernité la rattrape, pour le meilleur et pour le pire. Je songe qu'il faudrait ici des caméras Imax pour embrasser la réalité. Le grand-angle de mon appareil me paraît soudainement bien petit.

Je sors de ma somnolence quand le pilote annonce notre atterrissage prochain. Vu du ciel, le camp de base fait penser à la station lunaire du film *2001: l'Odyssée de l'espace* de Stanley Kubrick. Dans l'immensité désertique, notre regard est attiré par un immense dôme argenté, d'où quelques volutes de fumée blanche montent vers le ciel: c'est la mine de Meadowbank. Des installations toutes reliées entre elles par des corridors, une immense usine trapue où des camions jettent des tonnes de minerai, une présence humaine qui s'agite au milieu de nulle part. Tout autour, des trous gris démesurés où des camions hauts comme des maisons puisent le précieux minerai. Plus loin, ce n'est qu'une implacable étendue de roches où le vent balaie de la neige, un véritable décor de science-fiction.

Le froid nous brûle le visage dès que nous descendons de l'appareil. Une soixantaine de gars fébriles attendent sagement que nous libérions nos sièges pour s'y installer: ils viennent de passer deux semaines ici et ne rêvent que de retourner à Val-d'Or. On nous assigne nos chambres de mineurs, minuscules mais confortables. La cafétéria immense accueille en permanence les affamés avec son buffet chaud, où l'on se sert à volonté. Paul et moi faisons honneur au menu riche et varié, mais le vin nous manque. À Meadowbank, l'alcool est interdit. Les gars manipulent des tonnes d'explosifs, conduisent des engins surdimensionnés 12 heures par jour, dans des froids extrêmes. Ici, la frontière entre la vie et la mort est ténue. Dans ce contexte, toute ébriété serait létale.

Nous remplissons notre mandat premier, qui est d'illustrer toutes les étapes de la transformation de la roche brute, du dynamitage quotidien jusqu'au transport du minerai, ainsi que les différents processus de broyage et de raffinage de la roche menant au moment ultime : la coulée d'un lingot d'or pur. Nous nous mêlons facilement aux travailleurs. Paul mène les entrevues et je tourne des kilomètres de ruban vidéo. Un matin, les agents de sécurité nous interdisent de sortir : il fait -55 °C à l'extérieur, le vent est fort et tout le personnel non essentiel aux opérations est confiné à l'intérieur de la base. Paul fait valoir que nous sommes ici justement pour montrer les conditions de travail difficiles des employés. Donc, avec réticence, on nous permet de sortir, à condition d'être accompagnés par deux gardiens vêtus comme des scaphandriers. Je capte des images fabuleuses. Dans ce froid extrême, le souffle des hommes gèle tout de suite et recouvre l'intérieur de la visière de leurs casques protecteurs d'une glace bleue qu'ils doivent casser toutes les cinq minutes. Malgré cette visibilité réduite, ils enfoncent dans le sol des bâtons de dynamite qu'ils avaient accrochés à leurs ceintures. Ils ressemblent à des cosmonautes de l'impossible. Ma caméra tient le coup, brave Sony, mais je dois la rentrer dans le camion toutes les 10 minutes afin d'en protéger les piles. Le froid polaire est sans pitié pour le matériel. À Meadowbank, on n'éteint jamais le moteur des véhicules, car ceux-ci risqueraient de geler définitivement.

Les explosifs sont en place et je dois me mettre à l'abri derrière un paravent de métal quand un contremaître donne le signal de l'explosion imminente. Je laisse ma caméra en marche sur son trépied avec l'objectif dirigé vers le ciel. La terre tremble sous nos pieds, le roc se soulève dans un grondement magnifique et de gros blocs de pierre tombent du ciel autour de mon abri. Ma caméra filme cette pluie étrange : une seule de ces pierres la réduirait facilement en bouillie. Mais je me doute bien que ces images seront spectaculaires.

Plus de 170 Inuits de la région travaillent à la mine aux mêmes conditions que les Blancs. Ils constituent le tiers des effectifs. Je leur consacre une bonne partie de mon tournage. À la cafétéria, ces gars rieurs s'isolent parfois pour déguster leur nourriture traditionnelle, du caribou séché et de la baleine crue qu'ils découpent à l'aide de grands couteaux circulaires. Ils m'offrent un morceau, mais je refuse poliment : j'y ai déjà goûté ailleurs et je me souviens d'une saveur forte, semblable à celle de l'huile de foie de morue.

Le soir, les mineurs s'agglutinent devant les écrans de télé pour suivre les matchs de hockey diffusés par satellite. Selon Paul, la plupart des Inuits sont des fans du Canadien de Montréal. La société minière engage parfois des artistes venus de Winnipeg pour des représentations données dans un coin de la cafétéria. Un soir, un « magicien » épate les gars en faisant disparaître des œufs durs derrière sa tête... Mais ces divertissements n'empêchent pas le public de bayer aux corneilles. Les journées sont longues, difficiles et la plupart des mineurs se couchent tout de suite après le souper. Je passe mes soirées dans la chambrette de Paul qui a eu l'excellente idée de cacher un vinier de vin rouge dans sa valise... Chut !

Je parle surtout des gars de la mine, mais il y a ici quelques femmes, employées de bureau d'Agnico Eagle, infirmières du dispensaire, cuisinières ou chargées de l'entretien. Ce sont des personnes au caractère bien affirmé : il faut avoir les nerfs solides pour travailler si loin des siens dans un environnement aussi ingrat. Les femmes ont leur propre dortoir et sont traitées avec le plus grand respect. C'est avec « les filles du bureau » que nous réglons nos problèmes logistiques et organisons une visite au village inuit qui ne figurait pas dans notre plan original de tournage. Un aller-retour à Baker Lake nécessite deux jours de préparation, car chaque déplacement doit être inscrit dans une charte bien précise. À l'entrée et à la fin de la route, des hommes dans des guérites équipées de radars et d'équipement de communication laissent passer voitures et camions, après leur avoir donné un numéro de code et vérifié leur autorisation de circuler. Ainsi, à l'approche d'une tempête, la société minière sait exactement où se trouve chaque véhicule et peut mobiliser ses équipes de secours. Un cadre nous avouera aussi que la voûte de la mine regorge d'or, mais qu'il serait impossible pour une équipe de voleurs de se sauver dans la toundra sans être repérée.

Une seule route de brousse de 106 kilomètres sépare la mine de Meadowbank du village inuit de Baker Lake. Construite expressément pour desservir la mine, elle est la plus longue de tout le Nunavut. En gravier l'été, couverte de neige en hiver, elle serpente à travers le territoire pour éviter les petits lacs, mais aussi les nids d'espèces animales protégées, oiseaux, lièvres et renards arctiques, comme l'exige le gouvernement du Nunavut. En hiver, ce long chemin monotone se transforme facilement en piège mortel : le blizzard peut frapper sans avertissement et un conducteur immobilisé par la neige risque de mourir de froid dans son véhicule. C'est pourquoi des conteneurs de survie ont été installés tous les 10 kilomètres entre la mine et le village. Je filme l'intérieur d'une de ces « cabines spatiales » qui a déjà sauvé des vies : une chaufferette au mazout, des allumettes, une lampe de poche, deux lits superposés, des toilettes chimiques, deux sacs de couchage ainsi que des aliments séchés sont bien rangés dans cet abri de métal à l'épreuve des éléments et des prédateurs. Un camionneur est déjà resté toute une semaine dans cette cabine de survie avant que les déneigeuses de la société puissent ouvrir la route pour lui venir en aide. Une semaine entière avec la tourmente comme seule musique de fond !

Le village s'étire sur un kilomètre le long du lac Baker. La rue principale est recouverte de neige tassée en hiver, qui se transforme en mare de boue au printemps. Des adolescents vêtus d'un simple t-shirt s'y promènent en motoneige même s'il fait -25 °C ! La plupart ne portent ni gants ni tuques, peut-être pour impressionner les filles. Au centre du village, un immeuble commercial abrite l'épicerie et deux chaînes de restauration rapide. On y trouve pizzas et poulet frit comme en ville, mais cinq fois plus cher. À l'épicerie, on trouve de tout, des barquettes de fraises de la Californie à 25 $ et des écrans HD immenses pour la télévision par satellite. Depuis l'ouverture de la mine, les Inuits de Baker Lake gagnent de gros salaires, eux qui vivotaient auparavant de l'aide sociale. La rue principale est maintenant le théâtre d'embouteillages inédits. Chaque famille possède plusieurs motoneiges neuves et au moins un gros véhicule utilitaire sport. Le vendredi soir, l'entrée de la pizzeria est bloquée par les véhicules bruyants et polluants. Le maire du village, David Aksawnee, nous dira en entrevue qu'il songe à importer des feux de circulation, du jamais vu ici !

Le choc des cultures me frappe. Pour illustrer notre reportage avec de la musique traditionnelle, Paul se met le lendemain à la recherche de chanteuses de gorge, spécialisées dans ces halètements saccadés que deux femmes se lancent au visage jusqu'à ce que l'une d'entre elles éclate de rire. Les villageoises ont toutes oublié cet art millénaire, sauf Lucy, 83 ans, qui accepte de chanter pour ma caméra avec sa petite-fille dans la vingtaine à qui elle espère passer le flambeau de la connaissance ancestrale. Les jeunes Inuits de Baker Lake écoutent en permanence les vidéos de Lady Gaga et de Justin Timberlake sur leurs écrans géants. MTV fait des ravages dans leur culture. Les jeunes parlent de plus en plus anglais entre eux et n'ont qu'un seul objectif : travailler un jour à la mine afin de rapporter de gros salaires à la maison. Notre amie chanteuse de gorge nous montre fièrement sa ligne à pêche et explique en inuktitut, sa langue natale, qu'elle peut encore attraper de grosses truites dans le lac. Elle veut même nous en faire la démonstration, bien qu'il fasse -45 °C à l'extérieur. Nous partons donc dans notre camion sur la mer intérieure qu'est le lac gelé.

La glace fait au moins deux mètres d'épaisseur et supporte facilement le poids de notre gros véhicule prêté par Agnico Eagle. Le ciel et l'horizon se confondent. Nous perdons rapidement le village de vue et avançons sans vraiment savoir où nous allons. Le ciel et la glace sont du même gris, c'en est étourdissant. Une petite poudrerie ajoute à la confusion. Notre pêcheuse nous guide de façon inexplicable et connaît exactement la route invisible qui mène à son trou de pêche situé à trois kilomètres au large. Au milieu de nulle part, elle s'écrie « ici » et nous stoppons. Lucy descend du véhicule. À moins d'un mètre sur notre droite, je repère un petit rond de glace mince que notre amie perce avec un harpon. Puis elle s'accroupit et lance sa ligne à l'eau. Mon journaliste essaie de nous suivre, mais ne peut rester que quelques secondes à l'extérieur, le visage congelé. Mieux habillé que lui, bien protégé par une cagoule de laine et mon col de fourrure, je filme la dame qui tire sur sa ligne à un rythme régulier, pendant que le vent souffle la neige sur l'immensité du lac. Un soleil blafard perce à travers les nuages et j'ai dans mon viseur l'image inoubliable d'une vieille femme qui répète des gestes d'il y a peut-être 1000 ans. Chaque minute, elle enlève ses gants pour retirer la glace de sa ligne.

À peine 10 minutes plus tard, je lui fais signe qu'il faut maintenant rentrer au village, mais elle refuse net. Orgueilleuse, elle veut attraper un gros poisson avant de revenir, sinon, dit-elle, les villageois vont penser qu'elle a perdu la main ! Elle nous dit de partir, qu'elle va rentrer à pied, plus tard. Nos traces de roues sont effacées par le vent et je suis sûr que je vais m'égarer dans ce désert blanc sans elle. Et puis, nous n'allons tout de même pas abandonner une vieille dame dans cet endroit perdu ! À contrecœur, elle se résigne à revenir avec nous et nous ramène au village comme si elle avait un GPS planétaire greffé dans le cerveau. Ravie de notre étonnement, Lucy nous avoue que des Inuits se perdent parfois dans le blizzard, même au village. L'hiver dernier, une jeune maman partie à l'épicerie chercher du lait pour son enfant a été retrouvée quatre mois plus tard, à la fonte des neiges : son corps reposait au bord de la rue, à 10 mètres de sa maison. Elle tenait contre elle un litre de lait...

•••

Baker Lake est reconnu pour la qualité de ses artisans, ce qui nous incite à visiter le Centre culturel Jessie Oonark, où sont exposés pour la vente peintures, dessins, sculptures, vêtements brodés et tapisseries réalisés dans la région. Je ne sais plus où donner de la tête tant les œuvres colorées sont photogéniques. Je retiens notamment les tapisseries traditionnelles d'Irene Avaalaqiaq, surnommée la Picasso du Nord depuis qu'elle a exposé en France. Madame Avaalaqiaq illustre les songes et légendes qu'on lui racontait dans sa petite enfance : hommes métamorphosés en oiseaux, déesses capricieuses volant autour des humains, baleines magiques...

Nous allons ensuite rencontrer le peintre et sculpteur Simon Tookoome dans son atelier. Simon fait partie des aînés du village et je le filme en train d'illustrer un conte inuit transmis à travers les âges. Une collection de trophées attire mon œil : Simon a remporté plusieurs championnats de chasse au fouet ! Il précise que cette méthode est merveilleuse, car elle ne traumatise pas les animaux. Selon lui, c'est facile. Il n'y a qu'à ramper en silence vers un troupeau de caribous dans le sens opposé du vent. Parvenu à un mètre d'une bête, on fait claquer le fouet sur son museau, ce qui la tue immédiatement sans alerter les autres. Il suffit ensuite d'attendre que le troupeau s'éloigne pour rapporter la carcasse à la maison! Paul surnomme notre homme «l'Indiana Jones du Grand Nord», ce qui fait naître un large sourire sur le visage ridé de Simon.

Au fil des jours, ma caméra ne suscite plus aucune curiosité dans la population. Je filme les gens qui me sourient, et tout le monde me sourit. Les Inuits rient tout le temps. Paul me dit à la blague qu'ils rient des Blancs… Des jeunes jouent au hockey sur la patinoire du lac: mon arrivée redouble leur ardeur et leurs partisans crient de plus belle. Je filme une fillette portant un bébé sur son dos et lui dis que son petit frère est très mignon. Vexée, elle répond: «Ce n'est pas mon frère, c'est mon fils!» Oups… Les grossesses sont précoces à Baker Lake. La rareté des logements favorise la promiscuité et les jeunes font l'amour dès la puberté. Un travailleur social nous expliquera en soupirant que les nombreux missionnaires des sectes évangélistes qui pullulent au village interdisent la distribution de condoms et de moyens contraceptifs à l'école secondaire ou au dispensaire. Résultat: un taux effarant de grossesses chez les adolescentes.

Lors de notre deuxième séjour à Baker Lake, au début du mois de juin, Paul et moi sommes invités au mariage d'un jeune couple inuit du village. C'est l'occasion pour moi de capter des images émouvantes de la communauté réunie dans une modeste chapelle de bois. La neige a fait place à des tonnes de boue dans les rues de la municipalité, ce qui me permet de tourner une scène incroyable. La mariée arrive à l'église en motoneige, avec salopette et bottes boueuses. À l'église où l'attendent les invités, elle se change dans un placard, revêt une superbe robe blanche, remplace ses bottes par des mocassins de plage dorés, achetés sur Internet. Elle

fait ensuite une entrée remarquée au son de la marche nup-
tiale jouée sur un petit piano électrique. Après la cérémonie,
elle remet ses bottes et ses habits de motoneige puis repart,
joyeuse, sur son engin en compagnie de son nouvel époux.
Et vive la mariée !

Notre troisième séjour se déroule à la fin de juin 2010,
lors de l'inauguration officielle de la mine. Pour l'occasion,
Agnico Eagle a invité tout le village à l'aréna pour un festin
grandiose. Nous avons eu le temps de monter sur DVD nos
images de l'hiver dernier, et la société décide de projeter
notre document sur un écran géant. La projection est
bruyante : dès que quelqu'un reconnaît le village, une maison ou un ami, il commente à voix haute. Simon Tookoome,
assis devant nous, regarde le documentaire sans rien dire,
comme assommé. Puis, dans un grand cri, il prononce son
nom : l'homme n'a jamais vu son image sur un écran et il
croit que l'Inuit du film est un sosie imposteur qui copie sa
peinture. Il éclate de rire, rassuré, lorsqu'il comprend que le
peintre du film, c'est lui !

Sur une petite estrade, deux agents de la GRC en uniforme d'apparat gardent un trésor que je m'empresse d'immortaliser sur vidéo : un inukshuk en or massif ! Il s'agit de
la première œuvre d'art inuite jamais réalisée dans de l'or
pur. L'empilement de pierres de forme humaine est le symbole visuel de tous les peuples de l'Arctique. Repères géogra-
phiques, ces monticules rocheux avec deux jambes, une tête
et deux bras se retrouvent partout où des humains habitent
la toundra. Celui-ci mesure 31 centimètres de haut et vaut
un million de dollars. Paul et moi pensons que l'objet attein-
drait une valeur astronomique s'il était offert aux collection-
neurs d'art du monde entier. L'or a été extrait du sol de

Meadowbank par les hommes du village. Tout le monde veut se faire photographier près de ce symbole de l'union entre les autochtones et les Blancs, venus apporter ici la modernité et le renouveau économique, mais qui ont aussi contribué à la disparition du mode de vie millénaire de tout un peuple.

Paul et moi rêvons de retourner filmer les artistes de Baker Lake pendant que les plus âgés peuvent encore parler. À ce jour, aucun réseau de télévision du Québec n'a montré le moindre intérêt pour un sujet pareil. Trop loin, trop cher, trop « pointu pour notre public ». Vraiment ?

Nous sommes prêts à retourner dans le Grand Nord si une station de télévision nous le demande. Il reste tant à dire et à montrer sur cette culture fragile, tant d'images à faire. Paul est même prêt à s'acheter une cagoule de laine !

ÉPILOGUE

La préparation de ce livre a signifié pour moi un magnifique retour sur ma carrière. J'avais un peu oublié à quel point mon métier m'a ouvert les yeux sur le monde et permis de rencontrer des humains fascinants un peu partout sur la planète.

En revisitant ces moments importants de ma vie, avec la complicité de Radio-Canada et du personnel accueillant de son Service des archives, j'ai revécu mes frousses, mes joies, mes espoirs ainsi que les embûches placées sur ma route par un métier que je n'ai jamais cessé d'aimer. Le jeune adulte naïf que j'étais en 1967 est devenu grand-père, plus tolérant envers les gens, mais aussi plus déconcerté par la vulgarité de ceux qui gouvernent le monde aujourd'hui. Mon travail a-t-il servi à rendre la société moins ignorante et plus perspicace qu'avant ? Je ne saurais le dire.

Une chose est sûre : mon métier tel que je l'ai exercé n'existe pratiquement plus. En quelques années seulement, l'évolution des médias et la presque disparition du journalisme traditionnel, au profit de ce que Marshall McLuhan appelait en 1967 « le village global », ont été surprenantes.

Internet fait que tout le monde est devenu journaliste et cameraman, si bien que les spécialistes du journal télévisé et les auteurs de documentaires disparaissent lentement, comme les dinosaures ont été un jour balayés de la surface de la Terre.

Heureusement, les avancées technologiques incroyables permettent aujourd'hui à des millions de jeunes de se connecter entre eux et avec le monde. Ils tiennent pour acquis cette communication instantanée et planétaire, sans beaucoup réfléchir à ceux qui ont rendu possible cette révolution. Je me plais à imaginer ce que deviendra la planète quand tous ces cerveaux branchés travailleront ensemble pour rendre notre Terre plus vivable parce qu'elle aura été mieux respectée. Eh oui, je suis resté un indécrottable optimiste malgré toutes les horreurs que j'ai vécues et que vous venez de lire. J'ai foi en la jeunesse, comme j'ai foi en ma propre descendance.

Mon métier, je l'ai raconté pour ma fille Mirra, mon fils Félix et mes deux petits-fils. Ils savent maintenant ce que j'ai vécu pendant mes longues absences répétées. Je ne pourrai jamais assez remercier ma chère Gisel d'avoir été chaque fois au poste, devenant le seul chef de famille durant les périples de son cameraman au long cours.

Je vous aime.

Patrice Massenet

TABLE DES MATIÈRES